広河隆一著

パレスチナ

新版

岩波新書

784

目　次

第2章 和平への模索と挫折

目　次

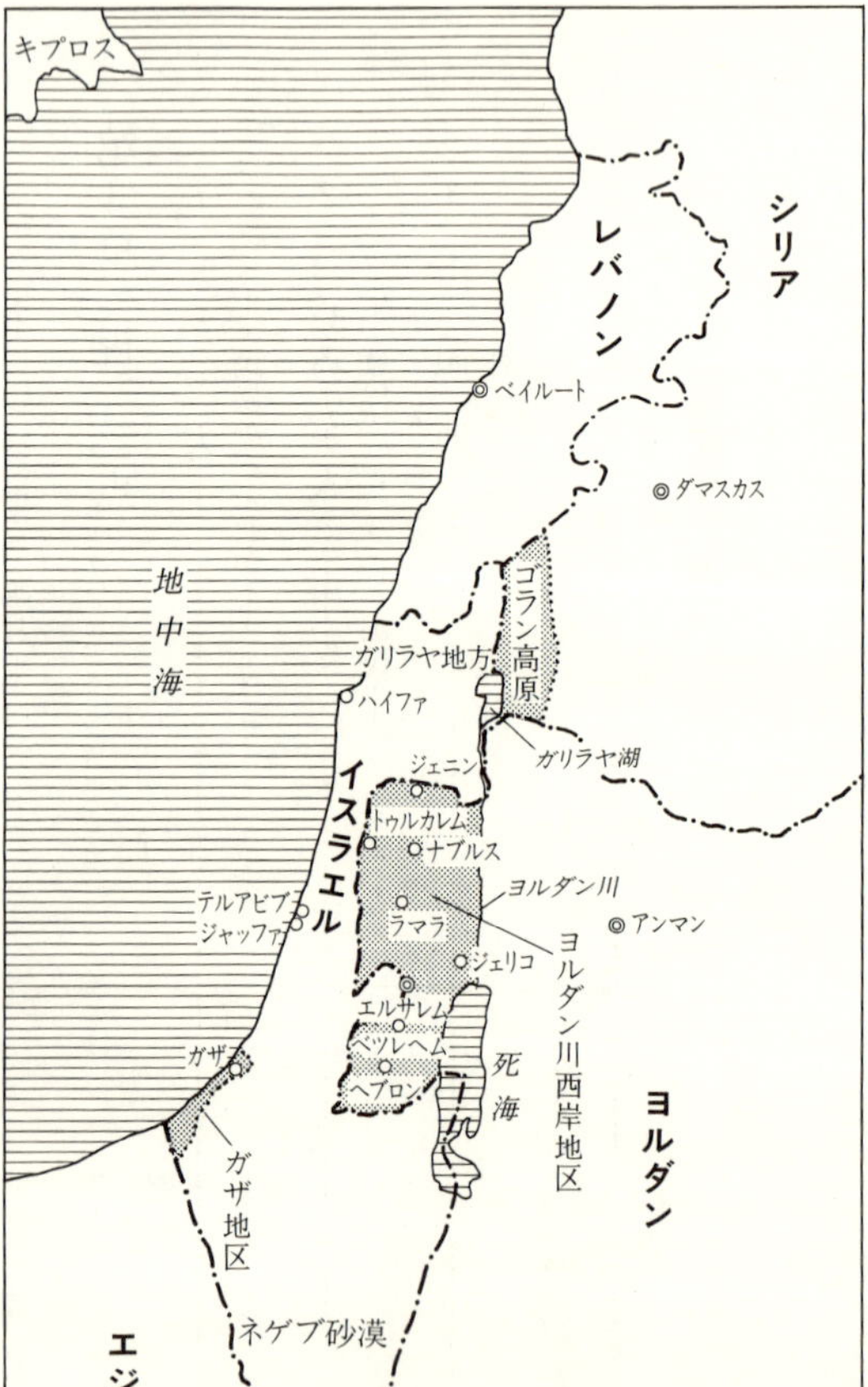

キプロス
シリア
レバノン
ベイルート
ダマスカス
地中海
ゴラン高原
ガリラヤ地方
ハイファ
ガリラヤ湖
ジェニン
イスラエル
トゥルカレム
ナブルス
ヨルダン川
テルアビブ
ジャッファ
ラマラ
アンマン
ジェリコ
ヨルダン川西岸地区
エルサレム
ベツレヘム
死海
ガザ
ヘブロン
ヨルダン
ガザ地区
ネゲブ砂漠
エジプト
サウジアラビア
2002年4月現在のイスラエル占領地とパレスチナ自治区
アカバ
エーラット
0
50
100 km
アカバ湾

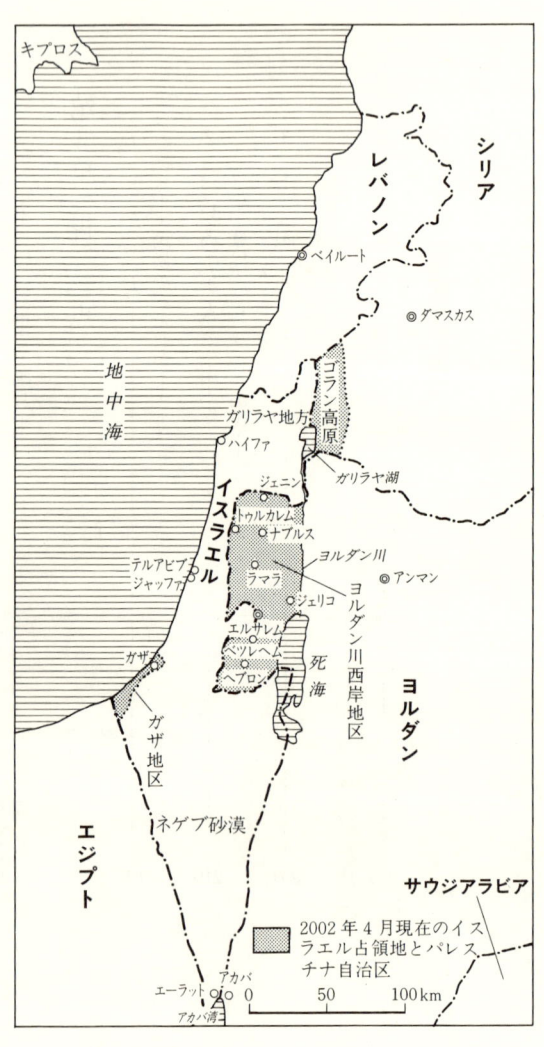

ヨルダン川西岸地区（2002 年 4 月現在）

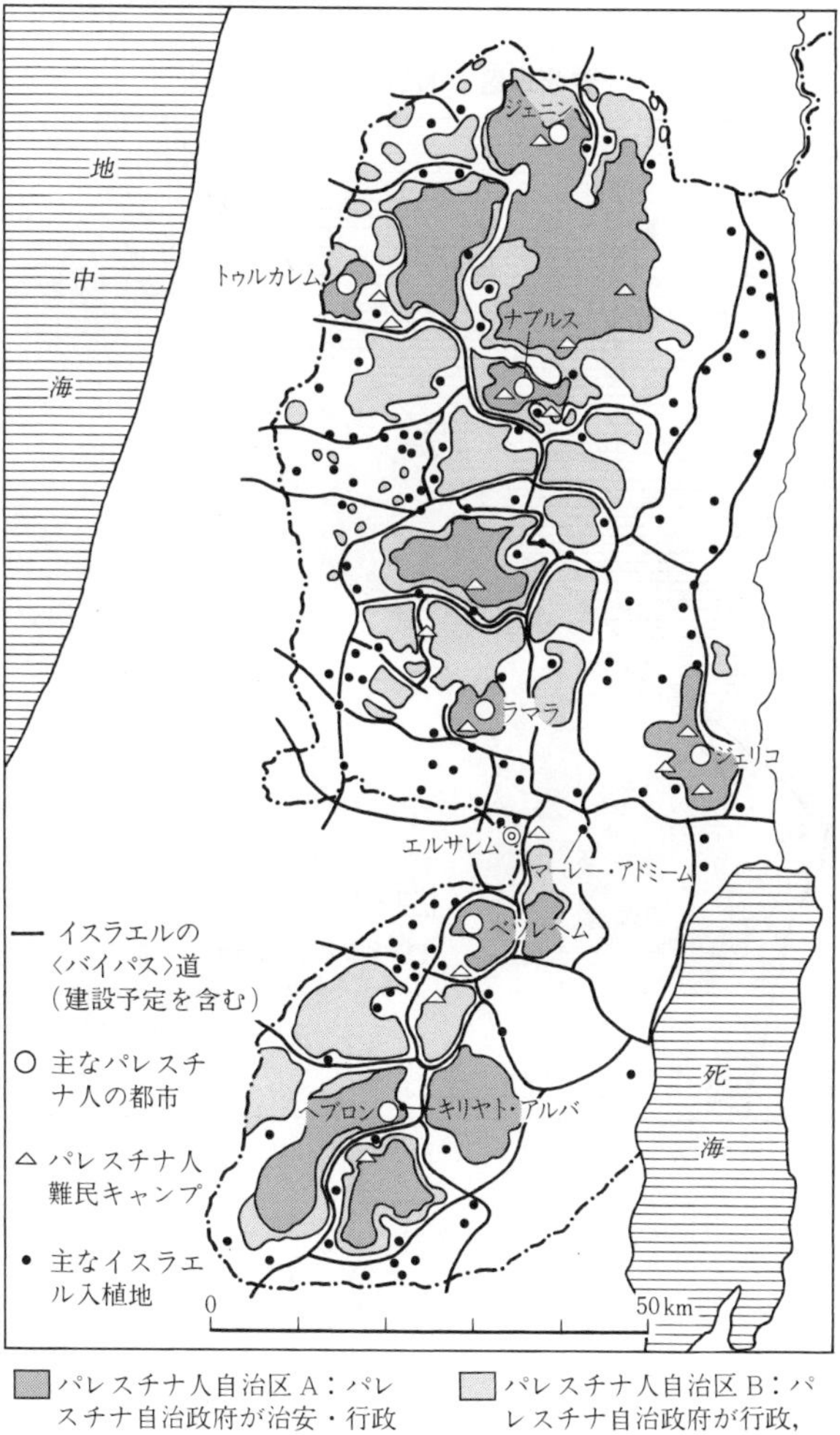

パレスチナ人自治区 A：パレスチナ自治政府が治安・行政を担当

パレスチナ人自治区 B：パレスチナ自治政府が行政，イスラエルが治安を担当

（資料：Health Development Information Project, *West Bank Feb. 1993* など）

ガザ地区（2002年4月現在）

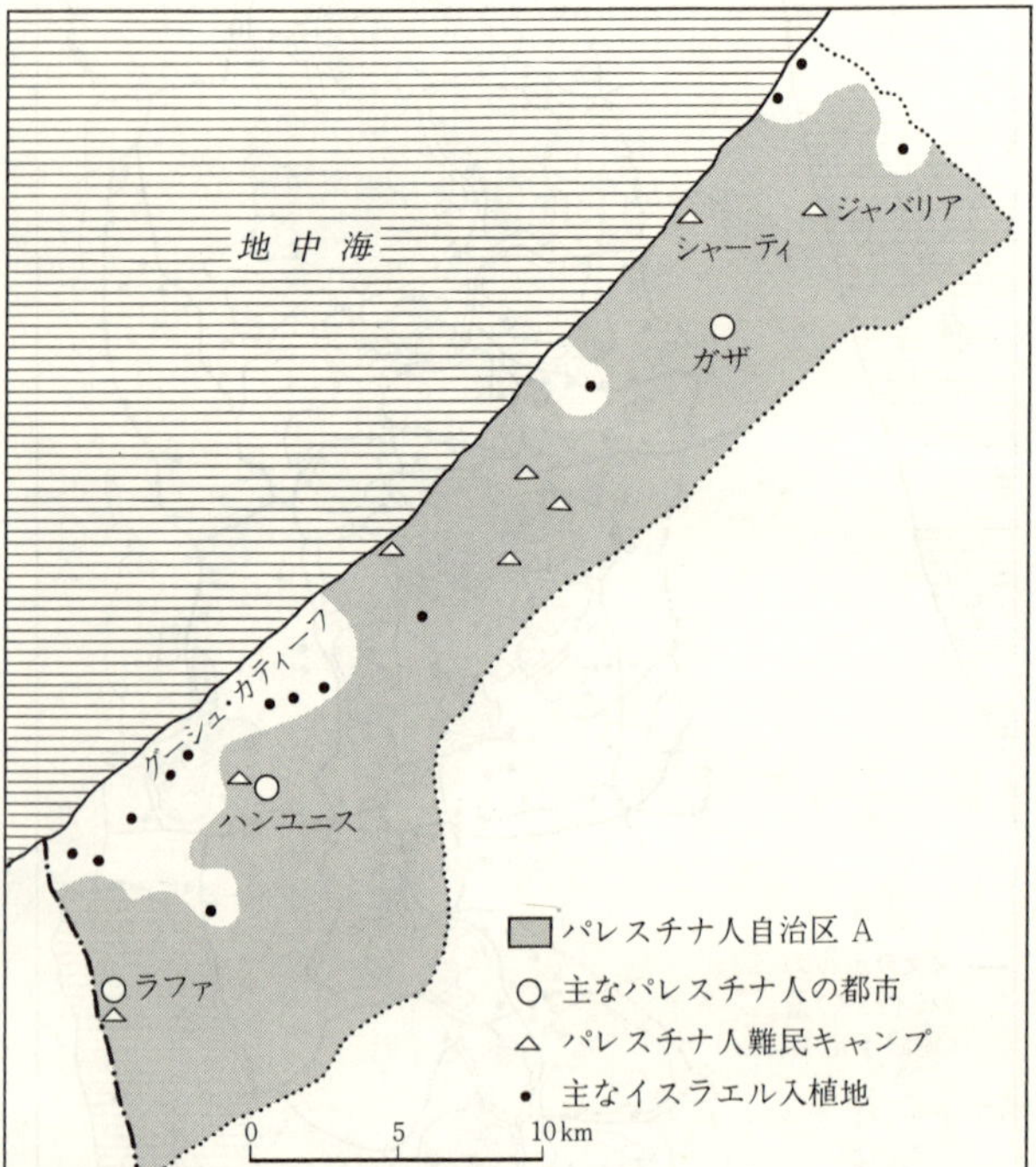

（資料：UNRWAなど）

序　パレスチナとの出会い

――新版刊行にあたって――

二一世紀のはじめに

二〇〇一年九月一一日に崩れ落ちた巨大なビルは、未来がその本性を現したと感じた人も多かっただろう。心臓を摑まれたようなこの不安感はどこから来るのだろうかと、私も何度も自問した。それはテロリストや、彼らをかくまう者を爆撃して殲滅することで済むものではない。このとき私たちの世界は、もっと深い何ものかの虜囚になったのだ。

それはこれから人間はどこに行くのかという問題と絡み合っている。事件後イスラエルに飛んで、占領下のパレスチナを歩き回った。そのあとアフガニスタンに行き、難民キャンプで考えた。

私たちがどこに向かっているのか知るためには、どこに立っているのか知らなければならないのは当然だ。そして今歩いている道がどこにつながっているのか知らなければならない。しかし私たちは、フロントガラスが泥だらけで全く前が見えないのに、運転を続けているようなものなのだ。ワイパーがないのだ。そうした役割を果たしてきた歴史家も、哲学者も思想家も役割を放棄している。革命家もいなくなってしまった。

そしてどのような未来が人間を幸せにするのか、教える人間は存在しなくなってしまった。かつては預言者たちが、そして後には社会主義者たちが未来を指し示した。この方向に歩めば平和や平等や幸福があると。しかし社会主義の転落によって、羅針盤もなくなった。そしてその役割は、資本主義と物質文明がとって代わった。

私はベルリンの壁崩壊のとき、現地にいた。あのとき壁が崩壊したのは、決して東側の人々の自由を求める動きではなかった。テレビに映し出される西側の物質の氾濫、きらびやかなショーウィンドウが、壁を壊したのだ。それは社会主義が未来の幸福を保証できなく、代わりに資本主義による物質の氾濫が豊かさと幸福の象徴になった瞬間だった。

何が崩壊したのか

その象徴が、世界に君臨するアメリカと、ツインタワーだった。それが一日で瓦解した。崩壊の喪失感はこうしたことに根ざしていたと思う。

犯行に及んだ者たちは、こうした物質文明が人間の幸福をもたらすという思想に対し、真っ向から対立するイスラムの「原理主義者」だったのである。

こうして世界がこのまま発展し続けるという幻想が崩れた。今日の続きが明日であるという確信さえ、幻想であることを思い知らされることになった。西側先進国が動揺したのは、三〇〇〇人余の死者のせいではない。資本主義が幸福をもたらすという指針が脅威にさらされ、消失しかけているという気持からだったのではないだろうか。

未来の灯が消えた暗闇のなかでもがきながら、アメリカも他の先進国も、憎悪をむき出しにして、復讐を叫んだ。しかし富も幸福も物質の豊かさも、しょせん世界の大多数の人々の犠牲の上に成り立っていることを、各国指導者たちの誰も認めようとはしなかった。これが犯人たちの告発する「不正」だった。そしてその「不正」の奥底にパレスチナ問題があった。

新版の発刊

本書の元になった『パレスチナ』が岩波新書から刊行されたのは一九八七年である。その後九四年に『中東 共存への道』が発刊された。その後もパレスチナ情勢は激動を続け、戦争状態に突入している。パレスチナ問題は、絶えず世界の火薬庫であり続け、投げかける問題はいよいよ大きくなっている。ここに南北問題、富と貧困、占領と支配と植民地の問題が凝縮されている。この問題を解決できないままでは、人類は二一世紀を生き延びられないだろう。その最初の兆候が、今世紀最初の年に起こったニューヨークのツインタワー崩壊だとも言えるのではないだろうか。

そこで『パレスチナ』を新たに編纂する必要が出てきた。そして旧版『パレスチナ』と『中東 共存への道』を再構成し、加筆して、『パレスチナ 新版』を世に問うこととなった次第である。

キブツ研修旅行

一九六七年五月、私はイスラエルに向かった。二三歳の時だった。私は日本共同体協会という団体が組織したイスラエルのキブツ研修旅行の一行十数名の中にいた。

キブツについては、いくらかの知識をもっていた。それは当時、理想の共同体として世界に知れわたっていた。全共闘運動が終焉したときもそうであったように、若者たちが街頭での直接行動から退却し始めたとき、コミューンやユートピアという言葉が、何か素晴らしい響きをもって現われる時期がある。私自身の場合も、それは大学の授業料値上げに端を発する大学紛争が、おそらく誰にも納得のいかない終わり方を見せた時期と重なっていた。

このとき私をとらえた言葉は、ユダヤ人哲学者マルチン・ブーバーによる、社会主義の「まだ失敗していない一つの試み」(長谷川進訳、『もう一つの社会主義』理想社)というものだった。世界史のなかに現われた社会主義社会建設の企ては、ほとんど失敗してきた、とブーバーは言う。しかしイスラエルのキブツは、少なくともまだ失敗していない……。搾取の禁止、賃金の廃止、直接民主制による運営、女性の家事・育児からの解放、競争を廃止する集団教育、可能な限りの私有の撤廃、そうしたことが実践されている共同体村が、イスラエルには二〇〇以上もあるという。これは私の心を強く惹きつけた。そうしたことが、私をイスラエルのキブツ研修旅行に参加させることになった。

ユダヤ人観、イスラエル観

私はユダヤ人については、漠然とした知識しかもっていなかった。アブラハムやモーゼやダビデやソロモンという名は知っていた。ユダヤ人というのは神に選ばれた民族で、神が約束した地に国をもっていたが、今から一九〇〇年ほど前、その国を失い、世界に離散し、そして各地で凄まじい迫害にあい、その最後の迫害が、ナチスのホロコーストだと私は考えていた。

伝え聞くところでは、このユダヤ人という人々は、非常に頭のいい人々らしい。ノーベル賞受賞者のほとんどがユダヤ人らしい。アインシュタインもその一人だ。芸術家にもユダヤ人が多いらしい。

ところが、一方で、ユダヤ人についてはうさんくさい噂も聞く。アメリカの金融界はユダヤ人に支配されているらしい。だいたい金銭に卑しい人々だということは、シェイクスピアの『ベニスの商人』のシャイロックを見ても分かる。何も根拠がなければ、シェイクスピアがあんなふうに書くはずがない……。こうした通説を疑うこともせず、私は、ユダヤ人とはアンネ・フランクとアインシュタインとシャイロックを混ぜあわせた人々で、アンネは悲劇の、アインシュタインは賢さの、シャイロックは金銭欲の象徴だと信じこんでいた。

ところが、イスラエルという国について、私の知っていることは、ほとんど皆無といってよかった。アンネ・フランクやアウシュビッツに象徴される大虐殺を生き延びたユダヤ人たちが、もうそうした迫害にあうことのないようにという願いをこめて建設したのが、このイスラエルだ、と私は信じていた。イスラエルは旧約聖書時代に起源をもつ国で、悲劇の中から希望の国として現われた、そしてキブツはその人々がうちたてたユートピア、というわけである。そして当時こうしたこと以外の姿を描いて見せた書物は、日本ではほとんどなかった。日本では左翼と呼ばれる人々も、多かれ少なかれ、私と同じイメージしかもっていないように思われた。

こうしたイスラエル観・ユダヤ人観は、欧米のキリスト教世界から見たもので、日本人はそれをそっくり受け売りしていただけだと、やがて私も知るようになる。しかし私がイスラエルに行ったときは、前述のような知識しかもっていなかったのである。

こうした状態だから、パレスチナ・アラブ人(以後「パレスチナ人」と記す)についての知識は、ひどいものだった。気の毒なユダヤ人が、やっと国をもったと思ったら、パレスチナ人の敵意にさらされて、そこでも迫害されている、というのが、当時の私の考えだった。しかしこの問題は、聖書の時代以来の、宿命の宗教的あるいは民族的確執であり、目には目を、という激しい一神教に由来するもので、血で血を洗う報復のくり返しだから、他人には立ち入ることができないのだと、私は多くの人々と同じように考えていた。

緑の沃野、真っ赤な花

五月中旬に、私はイスラエルに着き、メギド遺跡の近くのキブツに入った。人口は四〇〇人ぐらいの豊かなキブツだった。おまけにこの時期は、一年のうちで最も美しい季節だった。緑の沃野が広がり、糸杉が風に揺れ、真っ赤な花が咲き乱れている。私の入ったキブツは『栄光への脱出』という映画で、ユダヤ人主人公の男女が丘の上から緑豊かな平原を見下ろし、「ここが私たちの故郷」と言う、その場所の近くに位置していた。

キブツでは朝早く起き、トラクターに乗って果樹園に行き、オレンジやナシをもぐ。昼頃戻って、食事をし、シャワーを浴びて休息し、それからヘブライ語の授業が始まる。仕事は自分で選択でき、職場を変えようと思えば、そう申告すればよかった。タバコ代程度のこづかいが週一回手渡されたが、必要なものはだいたい支給された。「能力に応じて働き、必要に応じて取る」というコミュニズムのスローガンが、ここでは実践されていた。

「正義の戦争」

まもなく戦争が始まった。私のキブツからたった二〇キロしか離れていないところが戦場になっていたのに、私にとってこの戦争は、遠い地のできごとのように思えた。

キブツの中に塹壕を掘ったことを覚えている。掘り出した白い石灰岩が印象に残った。開戦とともにシェルターに飛びこんだことも覚えている。イスラエルがアラブの国々を攻撃して、数百機の航空機を破壊し、制空権を得たとのニュースに、シェルターのなかの人々は沸き返った。次の日からはもう仕事に戻ったように思う。

一九六七年六月五日に始まったこの第三次中東戦争は、一〇日に終結した。たった六日間で輝かしい勝利を得たというので、イスラエルはこれを「六日戦争」と名づけ、欧米もその呼び方にならった。それだけでなく、イスラエルは「正義の戦争」と呼んだ。ちなみに、アラブ諸国側は「六月戦争」と名づけている。

私の中に小さな疑問が涌き始めた。正義の戦争なんてあるのだろうか。アメリカやイギリスやフランスの若者たちは、私の疑問が理解できないようだった。彼らにとって第二次世界大戦は、ナチスのファシズムや日本の軍国主義に対する正義の戦争だった。しかしドイツの若者は私に共感を示した。彼らもかつての戦争を邪悪なものと教育されたのである。戦後の民主主義教育の中で私は、戦争そのものが悪であると教わってきた。仕方なしにする戦争はあるかもしれない。しかし少なくとも相手の国民に犠牲者が出るはずだ。正義の戦争などという概念は私には受け入れられなかった。

よく聞いてみると、四八年の第一次中東戦争、つまりパレスチナ戦争(イスラエルは「独立戦争」と呼ぶ)も、五六年の第二次中東戦争、つまりスエズ戦争(「シナイ作戦」と呼ぶ)も、彼らは正義の戦争と呼んでいた。スエズ戦争は、スエズ運河の国有化を宣言したナセル大統領のエジプトを、英仏が植民地主義的野心をもって侵略攻撃したはずだ。その攻撃に参加したイスラエルが、なぜ正義の戦争というのだろう。

やがて前線からキブツの若者たちが戻ってきた。戦勝報告会が、キブツで何回も催された。映画会もあった。人々はどのようにアラブ諸国をやっつけたか、どのように東エルサレムを占領したか、ゴラン高原、シナイ半島をいかにして手に入れたかをくり返し話した。「約束の地」パレスチナのほとんどを手中にしたイスラエルは、勝利に酔いしれていたのである。この戦争で広大な占領地を手に入れたあと、イスラエルでは熱狂的な軍国主義が育っていくように思えた。

少年の白旗

小さな疑念が忍び入ると、次々と疑問が涌きあがった。私の働いている美しい畑、これは本当に、ユダヤ人移民の血と汗の結晶なのか。ユダヤ国民基金がアラブ人から正当に買い上げた土地なのか……。しかしキブツは私に、疑問をもたずに働くことを求めているように思えた。

それらの疑問への答えを見つける前に、私は一つの光景に出会った。たしかキブツからの旅行で、占領下の東エルサレムを訪れたときのことだが、戦勝国イスラエルのユダヤ人がぞろぞろ歩き、私もその中にいたのである。エルサレム旧市街に入ったとき、急に一人のパレスチナ人の少年が、私に向かって白旗を振り始めた。彼はひきつったような顔で笑い続け、懸命に白旗を振った。占領者たちに白旗を振って笑いかければ殺されはしない、と学んだからなのだろう。そしてこの少年にとっては、私の姿も占領者に映ったのだ。この当然のことが、私を打ちのめした。私がキブツで働いたために、キブツの男たちが前線に行くことができたのだし、おまけに私は塹壕まで掘ったのだから、もう他人の戦争などといえないほど、関わりと加担をしてしまったはずだった。それなのに、この少年の白旗を見るまで、自分がどのような役割を果たしたのか、分からなかった。私は「事情を知らなかった」ではすまされない過ちを犯したのだろうか。

しかし、もしアラブ諸国に非があるのなら、私がイスラエルを助けても別に問題はないはずである。イスラエルのユダヤ人は、人の住まない荒れ地を耕して緑にしたあと、パレスチナ人がそれを欲しくなって襲撃してきたのだ、と言っていた。これは民主主義のイスラエルと封建体制のアラブ諸国の戦争だ、とも言っていた。それが本当なら、イスラエルを助けて悪いはずはない。

破壊されたアラブ村

その後、しばらくたってから私の働くキブツのヒマワリ畑の向こうに、白い廃墟があるのを見つけた。そこには、瓦礫がサボテンや雑草に半ば埋もれていたのだが、私にはそれがいつ頃のものか分からなかった。イスラエルには、ギリシャ時代、ローマ時代、十字軍時代の遺跡が多くあったが、これもそれらのうちの一つだろうと思っていたのである。私はキブツのメンバーに、この白い廃墟のことを尋ねた。しかし誰一人答えてくれなかった。そのとき私は、もしかしたらこの人々は、何かを隠しているのかもしれない、と思い始めたのである。

白い廃墟の解答を得たのは、それから一年以上もあと、キブツ研修旅行の仲間たちが日本に戻ったあとのことである。私は自分の疑問にはっきりと答えが与えられるまで、もう少しこの地に留まりたいと思い、一人でテルアビブ近くに住んでいた。私はマッペン（イスラエル社会主義機構）の活動に参加するようになったが、ある日その団体のユダヤ人の友人が、息せききって私の部屋に飛び込んできて、私の目の前に古ぼけた地図を広げた。それは、イスラエルという国が誕生する一九四八年以前に、この地方を委任統治していたイギリス政府によって製作された地図の上に、四八年以降イスラエル当局が新しい地名を刷り込んだものだった。新生イスラエルは、まだ地図を作る能力がなかったので、イギリスの地図を用いたのである。

その地図にはパレスチナ村の名がぎっしり書かれていた。そしてそのほとんどの村名の下には、ヘブライ語でハルース、つまり「破壊されている」と書かれていたのである。もっと驚くことがあった。そのすぐ近くに丸印が書かれ、新しく生まれたユダヤ人入植地の名が印刷されていたのだ。その多くはキブツだった。そしてそのハルースと書かれたアラブ村の一つが、私の見た白い廃墟だったのである。

のちにパレスチナ人法律家のサブリ・ジェリスに会ったとき、彼は村々がどのように破壊されていったか、教えてくれた。注目すべきことは、村々が破壊されたのは、四八年の戦争によるものではなく、戦争が終わってしばらくたってから、五四年ごろにかけてのことだという事実である。『パレスチナ・クロニクル』(M・R・メヘディ著)という本によると、イスラエル建国前に四七五あった村が、二五年後の七三年には九〇しか残っていない。イスラエルは多くの法律をつくって合法的に村を破壊し、土地を接収し、それを近くにできたキブツやモシャブ(キブツほど共同化できていない農業共同体)の手に移したという。私は、村の人々が追放され、難民キャンプに押しこめられ、村が廃墟となったあと、その畑で働いていたことになる。

真実の歴史

私はそうしたことをもっと知りたくなった。しかしパレスチナ現代史の本を探したが、なかなか見つからなかった。歴史書には、イスラエルにとって都合のいいことしか書いてないのである。そのうち、アーロン・コーエンというユダヤ人歴史家のことを知った。彼が真実の歴史を発表してしまったために、利敵行為を働いたとして逮捕され、彼の本は本屋から姿を消したのだと聞いた。私は彼のキブツを訪れて、本を手に入れた。

彼の『イスラエルとアラブ世界』は、ユダヤ人移民が、パレスチナでどのように土地を獲得していったかについて述べている。あの『栄光への脱出』の中で最後に映し出される緑の平野も、ユダヤ人が不在地主から買い求め、そこに何百年と住み続けてきたパレスチナ人農民たちを追放した後、ユダヤ人移民によって耕されていた畑だった。

私にとって、キブツが急速に色あせたものに見えはじめた。内部でいくら美しい社会を築いても、それが他人を追い出してその土地の上に築かれたものなら、何の意味があるのだろう。

しかも地図から消えていく村々は、過去の話ではなく、現在進行形でもあったのだ。

消えていく村々

第三次中東戦争の翌六八年、私はエルサレムをもう一度訪れたが、ユダヤ教の聖地である「嘆きの壁」の前は大きな広場に変えられ、そこにあった建物はすべて破壊され、住んでいた六〇〇人のパレスチナ人は追放されたあとだった。その裏の方の高台に行くと、ブルドーザーが家々を瓦礫に変えているのを目撃した。赤ん坊を抱えた女が、黙ってそれを見ていた。七六年にもう一度訪れたとき、この広大な高台は美しいユダヤ人地区へと生まれ変わっていた。合わせて六五〇〇人のパレスチナ人が新たに難民となったのである。イスラエルはここが一九四八年以前はユダヤ人地区だったから、それを復興するのだ、と言っていた。

六九年にはイスラエルの夕刊紙『マアリブ』に小さな記事が掲載された。キブツ・モディインがラトゥルン地域に建設されることを報じたものである。ラトゥルンというのはエルサレムの西に位置しており、一九六七年までの非武装地帯で、修道院の美しい大きな建物がある。そこにあった三つのアラブ村が破壊され、住民が追放されたのだ。やがて村々の名は地図から消えてしまった。

イスラエルの歴史からは、多くのことが隠されている。そして人々はそれを知っているけれども、口をつぐんでいる。それに言及すれば、自分がそこに住む正当性に問題が生じるからだ。最初のうちイスラエル政府のやり方に抗議していた人々も、やがて沈黙していった。むしろ左派に属する人ほどその傾向が強い。一方で極右の人々は悪びれることなく発言する。「なるほど俺たちは不正を犯したかもしれない。しかしそれがどうだっていうのだ。ここは神が俺たちに与えた土地なのだ……」

「安全」の論理

多くの人は信じられない、と言うかもしれない。あのアウシュビッツを経験した人々が、他人にそんなひどい仕打ちができるはずがない、と。ましてユダヤ人が非武装のパレスチナ人を虐殺することなど想像もできないに違いない。しかし現実には、そうしたことがしばしば起こっている。一九五六年にカセム村のパレスチナ人四七人がイスラエル兵に虐殺されたときは、命令を下した最高責任者は「単なる技術上の過失」を犯したとして、実に一〇円にも満たない形式だけの罰金で釈放された。

なぜ、という問いに答えることのできる人は少ないだろう。

六九年、私はエルサレムのヘブライ大学で写真展を行なった。このとき、なぜ、の答えの一つを得たように思う。私は写真展に「安全(セキュリティ)」というタイトルをつけた。この国では、国家の安全あるいはユダヤ人の安全という理由のもとに、すべてが正当化されるからである。パレスチナ人の追放も、拷問も、占領も、破壊も、そしてときには虐殺も、イスラエルの安全のためには仕方がないと言われるのを、私は聞いたことがある。

このとき展示した私の写真は、パレスチナの村々の廃墟とイスラエル軍をモンタージュしたものだったが、そこに置いた感想ノートには、人々の私への怒りの声が書きつらねてあった。その中の一人は、「私たちが「安全」を考えなかったとき、誰かが私たちの体から石けんをつくったのだ」と書いた。これはナチスが強制収容所の中で、ユダヤ人の体の脂肪分で石けんをつくったと言われていた話を指す。つまりユダヤ人が自分の安全に必死にならなかったから、大虐殺が起こったのだというのだ。

迫害の教訓

イスラエルでは、アウシュビッツ・コンプレックスとも呼ばれる民族絶滅の危機感が今でも生き続けている。イスラエル及び占領地に住むユダヤ人口四九五万五〇〇〇人は、世界のユダヤ人口一三二五万四〇〇〇人の三七%(二〇〇〇年。イスラエル統計年鑑(二〇〇一年版)。なおこの年のイスラエル総人口は六三六万九〇〇〇人)と言われているが、やがて再び起こるに違いない迫害と大虐殺の時に備えて、この国が必要なのだ、というのがイスラエルの建国思想である。

ユダヤ人が歴史上、凄まじい迫害を受けたことを否定する人はいない。しかしそこからどのような教訓を引き出すことができるかが問題だ。ユダヤ人を救わねばならない、ということが、ユダヤ人だけを救わねばならない、ということであってはならないのは当然である。しかし実際には、イスラエルでナチスのアイヒマンが裁かれたとき、ユダヤ人以外の虐殺された人々については言及されなかった。ナチスは、人間に対する、ではなく、ユダヤ人に対する罪を犯したとして裁かれたのだということを、多くの人々が指摘している。そのような考え方は、ユダヤ人を救うためには、他者の犠牲はかえりみない、という考えに陥る可能性をはらむ。

たとえば核爆弾の洗礼を受けた経験をもつ日本人が、人間に対する核爆弾の使用、ではなく、単に日本人に対して核爆弾が使用されたという理由だけで核に反対するとする。こうした考えはいつか、日本が核爆弾を他人に用いることを容認する危険性をもつにちがいない。ユダヤ人の場合、迫害は人類の問題なのに、ユダヤ人だけの問題にすることによって、むしろ別の結論が引き出されていったといえる。ユダヤ人の安全のためには多くが許され、イスラエルの正当化につながっていったのである。

本書の目的

ここまでの私の報告を読んだからといって、パレスチナ問題が身近に感じられるようになった人は多くないだろう。それは私が自分の体験をもとにして報告しているからかもしれない。体験のない者にとっては知識として分かるが、それ以上ではない、と言う人がいるかもしれない。それでいて、パレスチナ人たちが占領下におかれ、死者が続出することをニュースで知って、心を痛めておられる人も、決して少なくないに違いない。また自爆テロでイスラエルのユダヤ人が死傷しているニュースを聞いて、やりきれない思いをしている人も多いだろう。パレスチナの人々はなぜこのような状況にあるのか、なぜこのような行動をとるのかという疑問を発する人も多いだろう。

ここでもう一度、私がイスラエルに行く前にもっていたユダヤ人像、イスラエル像、パレスチナ観を思い浮かべていただきたい。それは初めてこの問題に接する読者の方々の知識と、そうへだたりがないはずである。本書では、これぐらいの知識しかなかった私が出会ったパレスチナ人のことや、見たり聞いたりしたできごとを織り込みながら、パレスチナ問題の輪郭を、できるだけ簡潔に述べていきたいと思っている。

この序文では、私が疑問をもち始めたところまでを書いた。すべての疑問はつながっているように思える。答えもまたつながっているにちがいない。そしてまた、パレスチナ問題は、すぐれて普遍的な、世界的な課題を提出していることも、読者の方々はもう気づいておられるかもしれない。本書では、それをさらに注意深く検討していきたいと思う。

第1章　イスラエル建国から占領へ

イスラエル当局によるパレスチナ人住居の破壊(エルサレムの「嘆きの壁」の近く，1968)

1　「約束の地」の受難者たち
——第二次世界大戦以前——

地中海の東の端に、四国と広島県を足したくらいの広さのパレスチナと呼ばれる土地(二万七〇〇〇平方キロ)がある。しかし地図をいくら探しても、パレスチナという文字は見つからない。かわりにイスラエルという国名が書かれている。

パレスチナとイスラエル

イスラエルが一九四八年に誕生するまで、この地域は大シリア(シャーム)の南部にあたるパレスチナ地方と呼ばれていた。この地域に現在のような国境線が引かれるのは、第一次世界大戦以降のことである。中東やアフリカの国境線は、ほとんどの場合ヨーロッパの大国が、支配圏をはっきりさせるために引いたもので、そこに住んでいる人たちが、自分の意志で引いたものではない。

旧約聖書の時代のことが分からなければこの問題は理解できない、と考えている人々が多いことは事実だが、パレスチナ問題も、長く続いたレバノンの戦争も、湾岸戦争も、すべてこうした事情から生まれたといってもいい。だからパレスチナ問題を理解するためには、前世紀末からの現代史を見るだけで充分だと私は思っている。ここではおよそ一〇〇年にわたるパレスチナ現代史を見ていくことにする。

英仏の争奪戦

イスラム支配をつうじてフィラスティン(パレスチナのアラビア語読み)と呼ばれていたこの地の人々は、パレスチナ人というよりも、もっと広い概念、アラブ人という枠の中に入れられるようになった。そしてこの地の人々は税金を納めさえすれば、ある程度の宗派の自治が認められていた。

パレスチナがオスマン帝国の支配下に置かれた一五一六年以降、この地方は比較的平穏だったという。キリスト教世界でユダヤ人の虐殺と迫害が続いたとき、ユダヤ人はこの地方に逃げ場を求めてきたほどだった。

しかし一九世紀の後半になると、ヨーロッパ列強諸国が、世界中を植民地化しようと、触手をのばし始める。フランスがアルジェリアを支配したのは一八三〇年のことだった。一八八一年には、フランスはチュニジアを占領し、イギリスは一八八二年にエジプトを占領する。

このころパレスチナは、老朽化したオスマン帝国の支配下にあった。そしてそこをイギリスとフランスが、虎視眈々と狙っていたのである。

パレスチナ人の悲劇が用意されたのは、こうしたヨーロッパの植民地主義的野心のなかでだった。西欧資本主義諸国は、民族主義と植民地主義を育てた。そして西欧のユダヤ人社会は、その国に同化し、その国の利益を自分の利益とする道を選んでいた。

ユダヤ人の入植

一八八〇年代初めから、ロシアではユダヤ人虐殺(ポグロム)の嵐が吹き荒れていた。このあと起こったユダヤ人の青年運動家たちは、ロスチャイルドの手でパレスチナに送りこまれ、この人々は約二〇の入植地をつくった。

ロスチャイルド家は西欧に経済的・政治的影響力をもつユダヤ系大資本家である。彼らにとってユダヤ人の救出と、植民地主義的野心の双方が満たされるこの方法は、願ったりかなったりだった。送りこまれたユダヤ人たちは、現地でパレスチナ人を雇って農園を広げていった。ユダヤ人移民は植民地主義諸国の利益にかなうように働き、現地住民を低賃金で働かせ、搾取していったのである。

ここで、覚えておかねばならないのは、パレスチナに送りこまれたのがいつも東欧のユダヤ人で、送りこんだのが西欧諸国だったということである。

こうした動きのあとに、もっと組織的なシオニズム運動が起こってきた。ここで用いる「シオニズム」という言葉は、エルサレムのシオンの山に語源をもち、パレスチナにユダヤ人国家を作る運動のことである。

シオニズムとバルフォア宣言

一八九四年、フランスのユダヤ人将校ドレフュスが、ドイツに軍事機密を売り渡したとぬれぎぬを着せられ、裁判にかけられた。フランス革命以降、ユダヤ人の解放が各地で達成されたと考えていた同化派ユダヤ人の間には危機意識が増した。同時にこのころ東欧ユダヤ人の西欧流入が起こっており、それは西欧のプロレタリアートだけでなく、西欧のユダヤ人の地位もおびやかしていた。そして西欧に反ユダヤ主義が育つ前に、この流入ユダヤ人を何とかしなくてはならないと考えられていた矢先の事件だったのである。

ドレフュス事件を目撃したテオドール・ヘルツルは、同化によって迫害を免れるというのは幻想であり、ユダヤ人問題解決のための唯一の道は、ユダヤ人の独立国家の創設である、と考えるに至った。彼は『ユダヤ人国家』(一八九六年。佐藤康彦訳、法政大学出版局)という小冊子を著わし、この考えを広めた。彼の前にも、レオ・ピンスケルが『自力解放』(一八八二年)によって、ユダヤ人が国家をもつことの必要性を説いていた。こうしてヘルツルの中心的な働きで、一八九七年にスイスのバーゼルで第一回世界シオニスト会議が催される。この会議はシオニズムの目的を「公法で保証されたユダヤ人のホームランドをパレスチナに築くこと」と決定した。

「ホームランド」というあいまいな言葉で表わされているものの、目的はユダヤ人の独立国家であることは明らかであった。当時のヘルツルの日記にもそう書かれている。あいまいな言葉を用いたのは、西欧植民地主義諸国は、ユダヤ人が植民地主義の担い手としての役割を果たす限りバックアップしてくれるだろうが、「独立」は彼らにとって何の利益にもならないから反対されるだろうと考えたからである。

ヨーロッパ植民地主義諸国の支援のもとに目的を遂げようとしたシオニズム運動は「アジアに対するヨーロッパの防壁となり、野蛮に対する文明の前哨」(ヘルツル『ユダヤ人国家』)としての役割を果たすと約束し、ユダヤ人国家設立を支持してくれるよう、諸国に頼んだ。

やがてイギリスは、ユダヤ民族郷土(ナショナル・ホーム)の建設の後ろ楯となることを約束する「バルフォア宣言」(一九一七年)を出す。イギリスは、この宣言と引き換えにユダヤ人の第一次大戦での協力をとりつけたのである。このバルフォア宣言によって、パレスチナ人の悲劇が、ほぼ確定したといってよい。

民なき土地?

シオニズムのもう一つの顔は、現地住民に対する徹底した無視だった。シオニズムはザングウィルの有名な言葉「土地なき民に、民なき土地を」をスローガンとして掲げた。土地なきユダヤ人に、人の住んでいないパレスチナの地を与えよ、という意味である。

実際にパレスチナには、住民がいなかったのだろうか。一九六九年にイスラエルのエシュコル首相は次のように発言している。

「ここは砂漠だった。未開発以下だった。何もなかった。彼ら(パレスチナ人)がわれわれの土地を取り上げることに興味をもちはじめたのは、われわれが砂漠を緑に変えてからのことだ」

さらに、エシュコルに次いでイスラエルの首相となったゴルダー・メイール(メイア)も、次のように言う。

「パレスチナ人などいなかった。……われわれがやってきて、彼らを追い払い、彼らの国を奪ったなどというのは間違いである。そんな人間はもとから存在しなかった」

パレスチナが無人の地だった、というのは、イスラエルの学校でも教えられている。しかし当のシオニストたちは、これがうそであることを知っていた。

第一次大戦前、パレスチナ人の人口は六三万人(オスマン帝国人口調査)と発表された。一九二二年、イギリス委任統治が始まった直後の調査では、パレスチナの全人口は七五万人で、その一一%がユダヤ人だった。これは現地住民であるアラブ人ユダヤ教徒にヨーロッパからのユダヤ人移民を加えた数字である。

パレスチナではオリーブ油、小麦、オレンジなどを産し、ナブルスは石けんで、ヘブロンはガラスで、ガザは綿織物で有名だったという。

こうしたことは、イスラエル建国の前から、シオニズム運動内部でもよく知られていた。パレスチナを訪れたユダヤ人アハッド・ハアムは『パレスチナの真実』のなかで次のように言う。「私たち外国人は、現在パレスチナがほとんど全くの荒れ地だと信じることに慣れている。そこは不毛の砂漠で、誰でも意のままに土地を買うことができると信じている。実際はそうではない。国中を通して、まだ耕されていない耕作可能の土地を見つけることは困難だ。……ここに土地を買いにきた私たちの同胞の多くは、何か月もこの国にとどまって、広い範囲にわたって旅行しながら、それでも求める土地を見つけられないでいる」

もう一つ有名なエピソードがある。マルチン・ブーバーの記録によると、ヘルツルの側近だったマックス・ノルドーが、パレスチナには人々が住んでいるとの情報を受けとって、驚いてヘルツルのところに来て叫んだ。「私には信じられない。私たちは不正を犯そうとしている!」

一九三六年までにシオニストの入手した土地のうち、半分はベイルートやダマスカスの不在地主から、四分の一はパレスチナ人地主から、残りは教会や外国企業からだった。『パレスチナ人の歴史』(北村文夫訳、新評論)のD・ギルモアの報告によると、農民から買い上げた土地は、一〇分の一以下だったという。一九二九年以前に限れば、買収した土地の九〇%が不在地主からだった。それにもかかわらず、イスラエル建国の一九四八年以前にユダヤ人の取得していた土地は、パレスチナのたった六%だったことを記憶しておかねばならない。

こうした状況の中でパレスチナ人を追放すべきだと考え、計画をめぐらしていたシオニストもいた。ジョセフ・ワイツは一九四〇年に「アラブ人のすべてを、この土地から隣接諸国に移住させる以外に方法はない。アラブ人の一村落、一部族たりとも残してはならない」と書いている。エルサレムにあるイスラムの聖地アルアクサ・モスクを壊して、そこにソロモンの神殿を再建すべきだと書いたシオニスト指導者もいる。シオニスト主流派は、対外的には穏健な顔を見せていたものの、その目的は今や明白だった。できる限りパレスチナ人を排斥して、そこにユダヤ人だけのための国家をつくろうとしたのである。

排除の対象

このパレスチナが、アルジェリアや他の植民地国のような支配と搾取を受けていたら、歴史は違って、パレスチナ人に独立の可能性も生まれたのかもしれない。しかしパレスチナ人は、他の植民地諸国とは異なって、搾取の対象ではなく、排除の対象になったのだ。当初、このシオニストのやり方に異を唱えたのはパレスチナ人だけではなかった。ロスチャイルド家のあと押しで入植してきたユダヤ人たちは、ヨーロッパ植民地主義の目的で来ていたわけだから、現地の安い労働力を雇おうとした。

ロスチャイルドの移民は、土地を不在地主から手に入れ、そこに住むパレスチナ人農夫を一度追放し、そして安い賃金労働者として雇った。一方シオニストの側は、ユダヤ人国家に向けて、パレスチナ人を排除した。そのためロスチャイルド系のユダヤ人農園主たちと、シオニスト系ユダヤ人移民はしばしば衝突し、流血の事件も起こった。

キブツに代表される「土に帰れ」(農業労働者として再出発しよう)という運動のほか、シオニストは「ユダヤ人の商品だけを買う運動」などをくりひろげた。これはパレスチナ人の商店への襲撃や、そこで品物を買うユダヤ人へのいやがらせなどを導いた。

「ユダヤ人による労働」は、美しい響きをもつが、これはパレスチナ人労働者の手から仕事を奪うことを意味した。パレスチナ人港湾労働者が、反英ストを行なったときなど、ユダヤ人によるスト破りが行なわれ、パレスチナ人の職場を奪ってしまったのである。

すでに一九〇一年にはユダヤ国民基金(ケレン・ハカエメット)が生まれ、パレスチナの土地を買い求め、ユダヤ人移民に貸し与えていた。その土地をパレスチナ人に貸与することは禁止された。

さらに労働総同盟(ヒスタドルート)が一九二〇年に結成された。ヒスタドルートがパレスチナ人労働者の参加を認めたのは、イスラエル建国後一〇年もあと、すべての経済領域がユダヤ人の手に渡ってからである。そして一九二九年に、政府の役割を果たす「ユダヤ人機関」(ジューイッシュ・エージェンシー)が誕生する。

その後ヘルツルの「政治外交路線」や「難民救済博愛路線」を批判するワイツマンの「実践シオニズム」がパレスチナに根を下ろして主流となり、やがてこれはベングリオンの「建国強硬路線」にとってかわっていく。

ベングリオンの建国路線

ベングリオンの指導のもとに、ユダヤ人の独立国家をつくる基盤は着々と準備された。彼はシオニスト労働党マパイの指導者で、労働総同盟代表、ユダヤ人機関議長を経て、やがて初代イスラエル首相になる。このマパイ、労働総同盟に基盤をもつシオニスト主流派の潮流が、そののち長くイスラエルを主導することになる。

これに対するもう一つのシオニズムの潮流のことにもふれておきたい。それは修正派(改訂派)シオニストである。これはジャボチンスキーに指導され、ユダヤ人の武装、パレスチナ人の追放、イギリスとの非妥協、ヨルダン川の東西を含む大イスラエル(エレッ・イスラエル)復活などを唱え、やがてメナヘム・ベギン(元首相)のイルグンや、イツハック・シャミール(元首相)のシュテルンなどの、ユダヤ人テロ組織を生み出していく。現首相のシャロン(二〇〇二年四月現在)は、この流れにある。

第一次大戦と英仏秘密協定

ここまでシオニズムの歴史を見てきたが、時代を少しさかのぼって、英仏のこの地域への介入のあとを見てみよう。

かつて西欧によって「中近東」と呼ばれた地域とアジア、アフリカ、太平洋とをめぐって、ドイツ、ロシア、イギリス、フランスなどの諸国に日本も参加して、争奪戦をするために引き起こされたのが、第一次世界大戦である。そしてその戦争のさなかに、パレスチナを含む「中東」(この言葉にはバルカン地域が入らず、北アフリカのマグレブ諸国が入っている)の多くの部分の分け前配分は、イギリスとフランスとの間で話がついていた。協定の当事者の名をとって、サイクス・ピコ協定(一九一六年)という。それによるとイギリスは、現在のイラク南部、ヨルダンに当たる部分とパレスチナを、フランスは現在のレバノン、シリア、イラク北部などに当たる部分を支配することになっていた。もちろん、これはそこに住む人々のあずかり知らぬ話であった。そしてこの秘密の取り決めに沿って、国境線が引かれていくのである。

パレスチナ地方を支配するために、イギリスは、外部から対立要因をもちこむことにした。ヨーロッパで迫害にあっているユダヤ人たちのパレスチナ入植を支援し、現地のパレスチナ人と対立させようと考えたのである。

フセイン・マクマホン書簡

第一次大戦中の一九一五年から一六年にかけて、メッカの首長、ハーシム家(ムハンマド直系といわれる)のフセインは、英高等弁務官ヘンリー・マクマホンに書簡を送り、アラビア半島からトルコ南部までの地域をアラブ国家として独立させるための協力を求めた。これにはパレスチナも入っていた。イギリスとしては、アラブ人を反トルコの戦いに参加させる必要があった。そこで、マクマホンはアラブ人の独立を承認する、という書簡を送ったのである。

これを受け取ったフセインは、イギリスの要請を受け、トルコに対する「アラブの反乱」にふみきる。そしてイギリスの送りこんだ情報部員ロレンス(「アラビアのロレンス」)の働きもあり、一九一八年一〇月、フセインの息子ファイサルはダマスカスに入城した。アラブの民衆はトルコを打倒したファイサルを熱狂的に支持し、パレスチナを含む全アラブの独立と、反シオニズムをかかげ、二〇年三月に「アラブ王国」樹立を宣言した。

しかし前述のように、このときすでにイギリスは、サイクス・ピコ秘密協定によって、アラブの分割統治のシナリオを完成させていた。シリアはフランスが支配することになっていた。

一九二〇年、第一次世界大戦の戦勝国によって分け前の決定(戦後処理)をする「サンレモ会議」で、サイクス・ピコ協定に即したアラブの分割が決まり、フランス軍によってファイサルはダマスカスから追放され、アラブの独立はついえた。

ファイサルの兄アブダッラーは、イギリスの裏切りに怒り、ダマスカスを攻撃しようとしたが、イギリスはアブダッラーにはトランス・ヨルダン、ファイサルにはイラクを与えると提案し、これが受け入れられることになる。

アラブの服を脱ぎ、イギリス軍将校の軍服姿で現われたロレンスは、アラブの指導者に妥協を説いた。ここで初めてアラブ人たちはロレンスの役割を知ったのである。のちにロレンスは、アラブ人をあざむいても勝利することが先決だった、と記している。

これによってヨルダン川の東西にまたがる部分をパレスチナとして委任統治しようとしていたイギリスは一九二一年、ヨルダン川の西だけをパレスチナと決め、そしてバルフォア宣言の該当地域もこの部分に狭めた。シオニスト主流派はこれを受け入れたが、右派はこの決定を「修正」することを求め、修正派をつくる。のちのリクード党は、この流れの上に立つ。その後イギリスによるパレスチナの委任統治が始まった。

英国の委任統治とユダヤ人移民

「分割して統治する」をモットーとするイギリスは、基本的にはユダヤ人移民を歓迎した。ヨーロッパからの移民は、イギリスの後ろ楯を受けて入植してきたし、彼らが現地に住むパレスチナ住民と摩擦を引き起こすことは、イギリスにとっては有利なことだったからである。独立を求める強いアラブは、望ましいものではなかった。パレスチナ内部に攪乱要因をつくって、消耗させることが必要だったのだ。

パレスチナ人は、まずイギリス政府に対する抗議運動を始めた。運動は次第にユダヤ人入植者に対しても矛先を向け、さらにユダヤ人に土地を売るパレスチナ人や他のアラブ人の地主に対して広がった。

イギリスによるパレスチナ委任統治は一九二二年の九月に開始された。そしてパレスチナ民衆の反英・反シオニズム運動は、より激しいものになっていく。

バルフォア宣言が出て、イギリスの委任統治が始まると、ユダヤ人移民はパレスチナへ怒濤のように押し寄せた。一九一七年には五万六〇〇〇人だったユダヤ人口は、二九年には一五万六〇〇〇人になった。

対立の激化

一九二九年に、エルサレムの「嘆きの壁」にユダヤ人移民がシオニストの旗を飾ったことから端を発する、パレスチナ人とユダヤ人の大規模な衝突が起こった。衝突は他の地域に飛び火し、一〇日間のうちにユダヤ人一三三人、パレスチナ人一一六人の死者が出る。そのユダヤ人の死者の最大のものは、ヘブロンに長く住んできたユダヤ教徒六七人に対する殺戮によるものだった。

当時パレスチナ人は港、鉄道、郵便などすべての公共事業で働いていた。その彼らが一九三六年に、独立を求める反英ゼネストを行なった。その結果、パレスチナではいっさいが麻痺した。このとき結成されたアラブ最高委員会の指導によるゼネストは、六か月間続いた。これは世界最長だろうと思われる。

闘争そのものは一九三六年から三九年まで三年間続いた。これによってイギリスは農村部での統治能力を失った。

ピール分割案

進退窮まったイギリスは、ピール調査委員会を設けた。委員会は一九三七年にパレスチナ分割案を出し、白書として発表した。その内容は、エルサレムなどは英委任統治を続け、その他のパレスチナのユダヤ人口が多い場所をユダヤ国家とするとともに、残りとトランス・ヨルダン(その後のヨルダン)を合わせてアラブ国家をつくるというものだった。この案ではユダヤ国家はパレスチナ全土の五分の一を占めることになっていた。今考えるとパレスチナ人に有利に見えるこの案も、アラブ最高委員会は拒否をした。パレスチナ人は、新参者で少数のユダヤ人になぜ国を与えなければならないのか、と怒ったのだ。

イギリスはアラブ最高委員会を非合法化したが、パレスチナの騒乱状態は拡大した。一九三九年にイギリスはユダヤ人側とパレスチナ人側の代表者を招き、和平会議を開催した。しかしパレスチナ人側はパレスチナ全土にわたるパレスチナ・アラブ独立国を主張し、ユダヤ人側との全面対立に終わった。

パレスチナ白書

その後イギリスは分割案を破棄し、パレスチナ全域に一つの独立国家を作るという案を提出する。一九三九年五月のパレスチナ白書(マクドナルド白書)である。それには次のようなことが述べられていた。

一、一〇年以内にパレスチナ独立国家を樹立し、それまでの間イギリスの管理下にパレスチナ自治を進める。

一、パレスチナのユダヤ人口を全人口の三分の一にとどめる。

この白書は、ユダヤ人に民族郷土を保障したバルフォア宣言を白紙撤回する内容をもっていた。しかし、今度もアラブ側はそれを拒絶した。これまでのイギリスのやり方を見て煮え湯を飲まされてきたアラブ側は、一〇年という移行期間を信じることができなかったのだ。一方のユダヤ人側は、これをイギリスの裏切りと見た。シオニスト運動の中で反英活動が活発化し、テロも頻発するようになった。そして四か月後には第二次世界大戦が勃発した。

ビルトモア綱領

第二次世界大戦の勃発とともにパレスチナ人の蜂起は沈静化し、下火になった。パレスチナ人は方向を見失い、アラブ最高委員会の指導者のアミーン・アル・フセイニーはベルリンに亡命して、ナチスを支援した。「敵の敵は味方」という論理で、イギリスの敵であるナチスを自分たちの味方と考えたのだ。ナチス・ドイツは敗北し、フセイニーの指導力も名声も地に落ちた。

一方、イスラエルのユダヤ人は、イギリスとともにナチスと闘った。イギリスの勝利とともに、ユダヤ人はパレスチナで力を持つようになった。しかもナチスによるユダヤ人大虐殺のことが明るみに出るにつれ、世界中の国々はユダヤ人が国を持つ権利を認めるようになった。

この間にアメリカのシオニスト大会は、一九四二年五月に「ビルトモア綱領」を採択し、それが世界シオニスト運動の公式綱領として採択された。これは全パレスチナをユダヤ国家として独立させることを宣言し、移民と土地取得の自由を求めていた。

これがアメリカのシオニストの決定であることは重要である。これはパレスチナ白書をイギリスの裏切りと考えたユダヤ人が、自分たちの後ろ楯を、イギリスからアメリカに乗り換え始めたことを意味する。

一九三一年のイギリスの調査ではパレスチナの総人口は一〇三万人で、うち一七%がユダヤ人だった。一九三三年にはナチス政権が誕生し、ユダヤ人の移民は急増する。一九四三年には総人口一六七・六万人中の五三・九万人、三二・二%がユダヤ人となった。

混迷化

ユダヤ人のテロ組織によるイギリス攻撃が激化した。一九四六年には、その組織「イルグン」によるエルサレムのキング・ダビデ・ホテルの爆破が行なわれた。

一九四六年九月、イギリスはもう一度、問題解決の主導権獲得を試みた。和平会議を呼びかけたのである。しかし、招待されたユダヤ人側は出席を拒否した。ここでイギリスはアラブ側にアラブ・ユダヤ連邦案を提示したが、問題にされなかった。当事者の一方を欠く会議で何が決まろうと、それは有効であるはずがなかった。パレスチナは騒乱状態となり、イギリスは結局この問題の解決能力がないことを認め、これを国連の手にゆだねることを決定した。一九四七年二月のことである。当時の国連は加盟国も少なく、主として第二次大戦後の戦勝国の政策を国際的に追認する機関だった。

2 奪われる土地、生まれる難民
――国連決議とイスラエル建国――

第二次世界大戦が終わったとき、シオニストの政策に変化が起きた。その第一の原因は、ナチスによるユダヤ人大量虐殺(ホロコースト)が明るみに出たことである。そのためシオニズムの活動は強化された。それまでシオニストは、圧倒的な少数派であった。ナチスの登場以前は、今住んでいる国に同化することによって、ユダヤ人問題はなくなるという考えが多数を占めていた。しかしナチスは、ユダヤ人が同化しようとしまいと殺したのである。そのためシオニズムのように、ユダヤ人問題解決のためには独立国家が必要だという考え方が、説得力をもってきた。

ユダヤ人虐殺のもたらしたもの

第二の原因は、ナチスの大虐殺を目のあたりにした国際社会の中に、ユダヤ人同情論が支配的になり、ユダヤ人難民のパレスチナへの移民を制限するイギリスに対して、圧力をかけ始めたことである。ただしこれは、ユダヤ人を自国で受け入れることは回避したいと考えた西欧、アメリカが、ユダヤ人をパレスチナに押し出すことによって、自国内ユダヤ人問題を解決しよ

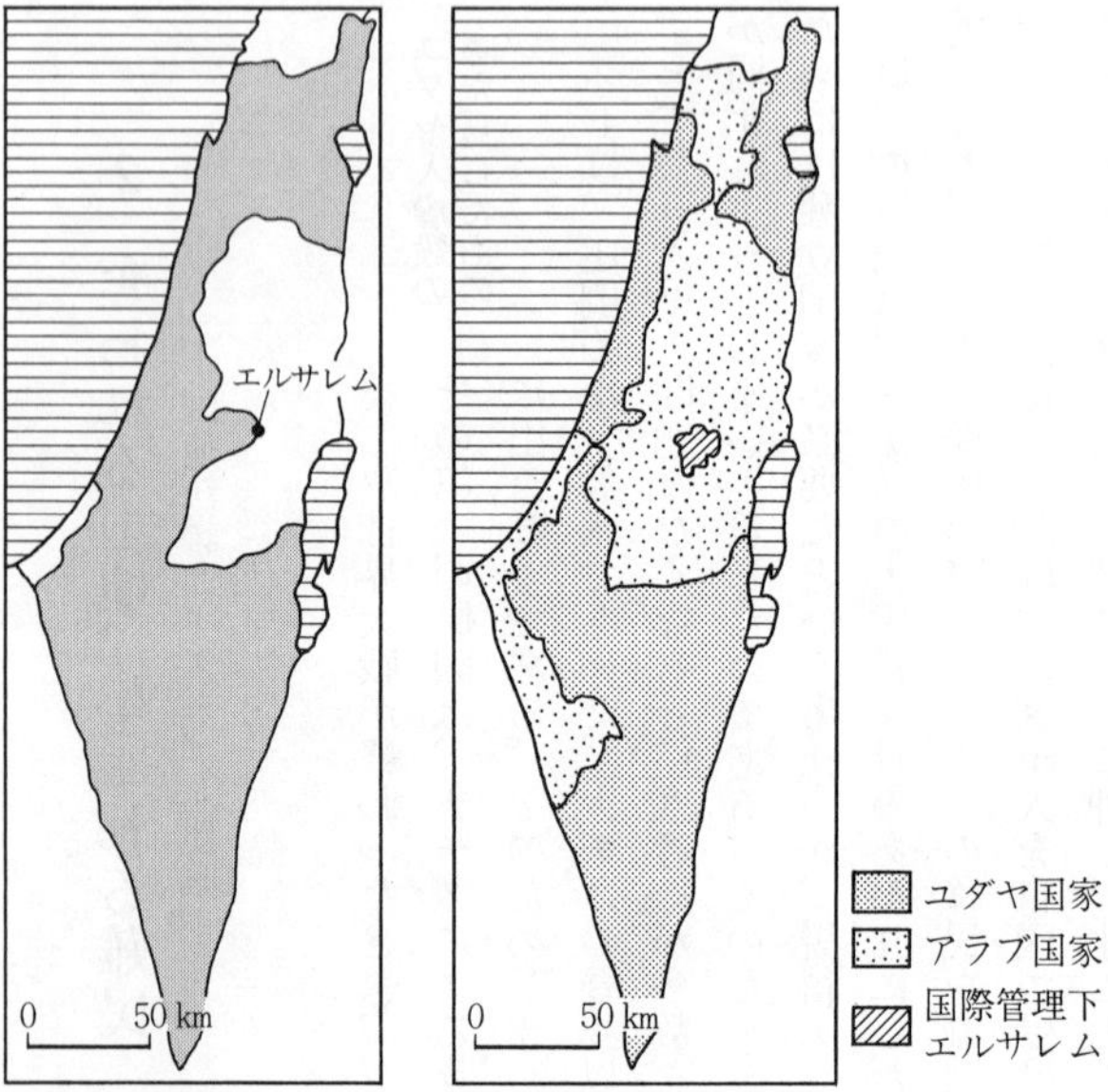

第一次中東戦争
(1948-49 年)終結時

国連決議(1947 年)の
分割案

(　　の部分)の変遷

うとした、という方が正しいだろう。

国連の分割案決議

イギリスのすべての試みは破産してしまった。第二次大戦で疲弊していたイギリスは、この問題を国連の手にゆだねた。

国連は特別委員会を現地に派遣し、委員会はアラブ国家、ユダヤ国家、エルサレムとベツレヘムの国連統治地区(エルサレム特別国際管理地区)の三地区に分割する案を採決にかけた。一九四七年一一月二九日、分割案は賛成三三、

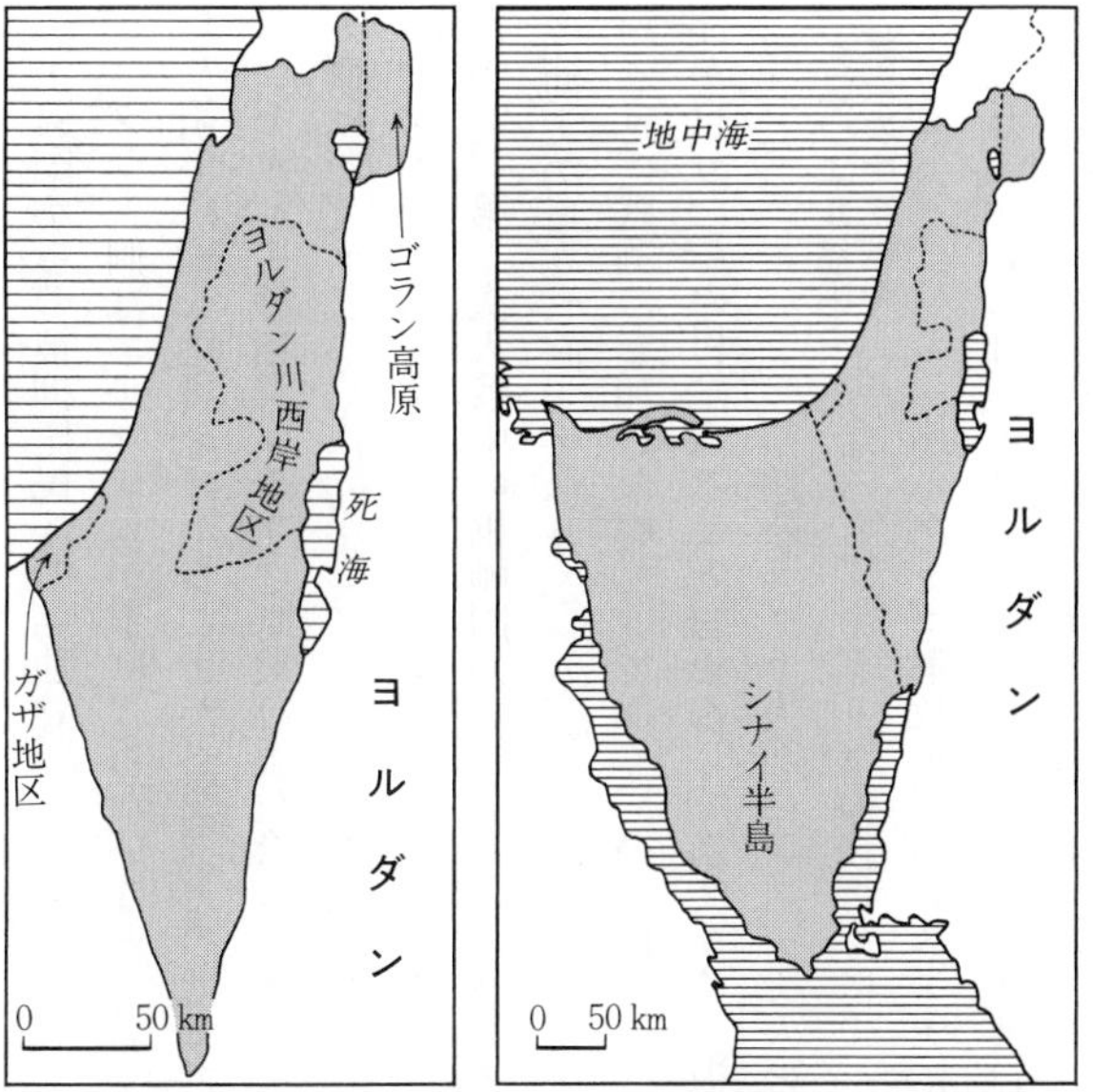

2002年4月現在
詳細は巻頭の地図を参照

第三次中東戦争(1967年)終結時
(シナイ半島は1982年にエジプトへ返還)

イスラエル支配地域

反対一三、棄権一〇で可決された(右端の地図参照)。

　これはパレスチナ人に完全に不利な内容だった。パレスチナの土地の六%しか所有していなかったユダヤ人が、五二%を得ることになった。国境の引き方も、ユダヤ人国家に当たる地域は、パレスチナ人よりもユダヤ人の人口がたった一〇〇〇〇人多いだけで、ユダヤ人側に主権が移ることになった。

　これは各国に対して脅しや援助をちらつかせたアメリカの露骨な下工作が、効を奏した結果である。そしてそれまでシオニズムに反対していたソ連も、分割案はイギリスという帝国主義国からの被抑圧民族の「独立」を導く、として賛成に回った。

ユダヤ人側はエルサレムが手に入らないなど、希望どおりではなかったが、小さくても取得した領土に国家建設をはかることが必要、との考えで受諾した。

フセイニーの指導するアラブ最高委員会はストライキを宣言し、抵抗を呼びかけた。ユダヤ人側はハガナ(ユダヤ国防軍)に一〇万人を結集した。しかしそれに対する側は、むしろアラブ各国勢力が主体となり、当のパレスチナ人は、義勇兵としてたった二〇〇〇人が参加しただけだった。第二次大戦中に枢軸国側についていたパレスチナ人指導者は、ドイツが敗戦したあとの痛手から立ち直っていなかったのである。特にキリスト教徒やドルーズ派イスラム教徒の村々は、戦闘に参加しないだけでなく、のちにアラブ解放軍やトランス・ヨルダンのアラブ軍団が自分たちの村に入ることを拒否して衝突をくり返すほどだった。

イスラエル建国と第一次中東戦争

初期のユダヤ人とパレスチナ人の小規模な衝突のあと、一九四八年三月になると、イギリスの後押しによって生まれたアラブ連盟が介入し、シリアからアラブ解放軍がパレスチナに入り、一挙に戦争状態となった。

五月一四日にはイギリス軍が撤退し、イスラエルは建国を宣言した。翌一五日にアラブ連盟指揮下のイラク、シリア、トランス・ヨルダン、エジプト、サウジアラビア、レバノン各国にパレスチナ人を加えた軍勢が、パレスチナに侵攻した。

当時、イギリスは世界中で進行する自国植民地の独立に、危機感をつのらせていた。すでにアメリカはサウジアラビアに肩入れし、中東の石油利権の半分を手に入れていた。アメリカに出し抜かれて、イギリスは中東の石油利権の三分の一しかもたなくなっていたのである。そしてスエズ運河の権益を守るためにも、イギリスはパレスチナに戻る必要があった。

この戦争は、大混乱を引きおこした上で、国連の信託統治という形で返り咲こうとしたイギリスの演出だとも言われた。イギリスは戸口から出て行って、混乱のあと窓から入ろうとしている、とは当時ささやかれた言葉だった。

明記されぬ国境

シオニスト側は、この戦争前から、入念に検討されたダーレット(D)計画で、エルサレムおよびアラブ国家の重要部分の占領と、パレスチナ人追放を、計画ずみだった。こうした計画が進行中だったため、イスラエル建国前の臨時政府が、国家樹立宣言に国境を明記するかどうか討論したとき、ベングリオンが国境明記反対を主張し、その案が通ったのである。ベングリオンは、アメリカも独立宣言で国境を明記しなかった、と述べた。彼は独立後のアメリカが、インディアンの土地やメキシコの領土を奪って国土を広げていくのを思い描いていたと思われる。

このとき、イスラエル臨時政府は、トランス・ヨルダンに秘密の使者を送り、国連がアラブ国家として決めた土地とエルサレムを、二国で山分けする交渉に入っていた。トランス・ヨルダンは、イギリスとイスラエルの二股をかけたことになる。

九月になってようやく戦争は下火になったが、このときすでに新興イスラエルは、国連がアラブ国家に決めた土地のかなりの部分を占領していた。そして戦後の境界は、イスラエルとトランス・ヨルダンの秘密交渉で決められていたとおりとなった。ガザはエジプトへ、東エルサレムとヨルダン川西岸地区はトランス・ヨルダン(これ以降ヨルダンと国名を変える)の手に渡った。こうしてパレスチナの独立は、根こそぎもぎ取られ、自決権はふみにじられ、そして多くのパレスチナ人は難民となったのである。

一方アメリカは、国連決議では国内のユダヤ人票を意識して国連分割案に賛成票を投じ、石油資本への考慮から四八年三月には分割案放棄を提案し、それが失敗すると、五月一四日に、真っ先にイスラエルを承認して、大統領選挙にそなえたのである。

難民の発生

シオニスト勢力は、イスラエル建国を宣言する五月一四日までに、エルサレムの一部を占領し、アラブ国に予定されていた土地にも軍を進めていた。この日までにパレスチナ難民の数は、三〇万人にふくれあがっていた。

五月一四日以降、難民の数は増加し、国連の推計で七二万六〇〇〇人、パレスチナ側の推計で八五万人にのぼった。難民はその後も増え続け、二年後の一九五〇年には九五万人を超えた。

この混乱の一方の責任者である国連は、何ら有効な手を打たなかった。パレスチナ難民には自分の村に戻る権利があること、それを望まない難民には賠償金を与えるようにという決議案を採択したのは、ようやく一二月一一日になってからのことである。しかしイスラエルは、そんな国連決議を気にもとめなかった。難民の残した資産数十億ドルは、イスラエルに没収された。

国際世論は、ナチスによってもたらされたユダヤ人の悲劇に同情的だった。そのうえパレスチナ難民が生じたのは五月一五日のアラブの「侵略」の結果であるというイスラエルの宣伝が効を奏して、難民への同情は少なかった。

退避命令？

パレスチナ難民はなぜ発生したのか。イスラエルにいるとき、私は何度も人々にこの質問をした。イスラエルの説明はいつも同じだった。それは、エルサレムを追放されていたアラブ最高委員会議長フセイニーがパレスチナ人に、アラブ軍の作戦が終るまで自分の村を離れろ、と「退避命令」を放送したから、パレスチナ人が村を出たというものである。責任はパレスチナ人側にあり、ユダヤ人側にはないというわけだ。

そののちこの「退避命令」の放送について、多くの人々が調査を行なったことを知った。BBCやアメリカ政府が、当時のパレスチナにおける放送をすべて傍受し録音していたが、それを調べた人々はそのような放送の記録を見つけることができなかった。イスラエルもこの証拠を提出することができていない。その反対に、パレスチナ人に村に留まるように呼びかけたアラブ側の放送の記録は多数ある。

イスラエルの当時の軍関係者の証言によると、武力、策略、虐殺に続くパニックなどによって難民が発生したと考えてよいようである。ギルモアの報告では、のちのイスラエル首相イツハック・ラビンは「住民を十数キロから二十数キロも歩かせるには、力を行使したり、警告発砲せざるをえなかった」と述べ、のちの外相イーガル・アロンは、ガリラヤ地方の村々を焼き払うと脅したと証言している。別のイスラエル兵は、録音した泣き叫ぶ声や、逃げろという声を村の中で聞かせ、パニックを引き起こしたと証言している。

虐殺テロとパニック

これらの脅しを効果的にしたのは、一連の凄まじい虐殺テロである。最大のものは四月九日のエルサレムのデイル・ヤーシーン村住民約一〇〇人の虐殺で無抵抗の村民が殺され、生き残った者は血だらけの服のままエルサレムで「勝利の行進」をさせられた。この村は戦争に中立を表明し、アラブ解放軍の駐留さえ認めていなかった。中立の村でさえこんな目にあうと知った他の村々は、パニックに陥ったのである。

これに対して、報復テロがあり、「デイル・ヤーシーン」と叫ぶアラブ人グループにユダヤ人の医療団四七人が殺害され、侵攻したアラブ軍にユダヤ人移民二〇〇人の住むクファル・エツィオンが全滅させられている。こうしたことも、再報復を恐れるパレスチナ人の離村をうながすことになった。

最初は右派によるパレスチナ人虐殺を非難していたシオニスト主流派も、虐殺が効果をあげてパレスチナ人にパニックを引き起こし、人々が村を離れるのを見て、追認するようになっていった。

ギルモアによれば、アイン・アッゼイトネ村では、三七人の少年がユダヤ人の軍隊に引き立てられたまま消えた。サフサの村では、四人の少女が強姦され、七〇人が目隠しされて射殺された。ドワイマ村では女子供を含む八〇－一〇〇人が、こん棒で頭を割られて処刑された。

ユダヤ人側は、当初は計画的にパニックを引き起こして、逃亡させるよう仕向け、それ以降は、なりふりかまわぬ武力によって追放していった。すべてダーレット計画に沿って実行された。

ユダヤ人の著名な作家イツハルは、作品『ヒルバト・ヒツァ〔アラブ村の名〕』のなかで、次のように書いている。

「われわれはここに来て、銃を撃ち、焼き、破壊し、圧力を加え、追い立てたのだ。一体われわれはこの場所で何をしたのだ。

モシェ〔主人公の友人〕は言った。「ここで君はもう一度新しく生まれ変わるんだ」

実際、ユダヤ人移民たちは、この問題には目をつぶり「新しく生まれ変わった」気持ですべてを忘れて、占領した村々の土地を耕し、そこに住み始めたのである。

土地・財産の没収

イスラエルが建国されたあと、ダーレット計画の完成のため、パレスチナ住民の追放と村の破壊が「合法的」に開始された。これは現在まで延々と続いている。この進め方には、いつも同じパターンが適用された。ある日、安全のためとか公共物建築のためとか戦争の危険があるとかいって、パレスチナ人村民の一時退避が命令される。そして村民がそこを離れたあと、その村の土地は没収され、ユダヤ人入植地(多くの場合キブツ)に与えられるのである。

これには、次のような法律が用いられた。

まず「不在者財産没収法」(一九五〇年)がある。この法律は、一九四七年一一月二九日の国連分割決議の日から、翌四八年九月一日までに、一度でも自分の居住地を離れた者(不在者)に適用される。戦火が近づいたために近隣の村に一時避難した者、イスラエル軍の命令で村を立ち退いた者、土地・家屋が自分の所有物だという証明書がない者、そしてその期間、村や町を出なかったと証明できない者は、この法律の適用を受け、家屋や財産を没収された。イスラムの財産(ワクフ)も没収された。これら土地没収の詳細な記録を残したパレスチナ人弁護士サブリ・ジェリスは、著書『イスラエルのなかのアラブ人』(奈良本英佑・若一光司訳、サイマル出版会)の中で、「神もまた不在なのだった」と慨嘆している。

イスラエルの占領した土地の中にあった三七〇の村のうち三〇〇村が、この法律の適用を受けた。一九五九年版のイスラエル政府年鑑には「三五〇〇平方キロに及ぶ三〇〇の村の財産は、管理者の手に移された」とある。

「閉鎖地域」　土地没収の二番目の法律は、かつて英委任統治政府が主としてユダヤ人テロリスト取締りのためにつくった「緊急法(防衛法)」(一九四五年)である。この一〇九条には「軍司令官は命令によって、ある市民の、特定の地域における居住を禁じることができる(追放)」とあり、また一一二条は「軍司令官は、市民の国外追放、財産没収、帰国禁止を命令することができる」、そして一一九条は「軍司令官は、市民の家屋を没収、あるいは破壊することができる」とある。最も多用されたのが一二五条で、これは「閉鎖地域」と呼ばれ、「軍司令官は、ある地域の閉鎖を命令することができる。この地域に入ること、あるいはそこから出ることは禁止される」というものである。

この一二五条の場合、閉鎖地域の境界は一般には明らかにされない。だから人々はこの法を守りようがなく、知らずに法を犯すわけである。これは主として、パレスチナ人が自分の村に戻ろうとするときに適用され、一四の村の土地が閉鎖、没収された。

適用の象徴的な例は、バルアム村に対してのものである。この村は第一次中東戦争では中立を保っていた。サブリ・ジェリスは、次のように記録する。

「この命令によって閉鎖地域と宣せられたバルアム村の運命は、もっと苛酷だった。この村の住民もまた、少し躊躇したのち、一九五三年に〔イスラエル〕最高裁判所に訴えた。五三年九月のはじめ、裁判所は、彼らの帰村は認められるべきである、との判決を下した。それに対する軍当局の対応は非常に乱暴だった。イスラエル国防軍の歩兵と爆撃機は、五三年九月一六日、人一人いない村を攻撃し、爆破した。爆撃は全村が焼けて廃墟になるまで続けられ、イスラエルの爆撃機は彼らの基地に「無事に」戻った。この村の土地は近くのユダヤ人入植地に与えられた」(『イスラエルのなかのアラブ人』)

バルアム村の村民は、近くのグーシュ・ハラブ村で掘立て小屋の生活をし、政府の補償金を断り、祖国の中の難民として生活している。

私はこのバルアム村の廃墟を何度も訪れた。それはレバノンとの国境沿いの道がカーブを描く丘の上にあり、白骨のような瓦礫が不気味に林立している。近くには社会主義を自任するキブツ・バルアムがあり、かつての村の土地を耕している。このあたりはかつてパレスチナ・ゲリラの越境攻撃が多かったところだが、キブツの若者たちはなぜ自分たちが狙われるのか知らない。

一二五条は、ガリラヤ地方のディル・アル・アサド村、ビマ村、ナハフ村に適用され、村々の耕地のほとんどが没収され、村民一万人は一日にして日雇い労働者となった。そして没収された土地には、ユダヤ人の近代的な町カルミエールが建設された。

「安全地域」

緊急法は、かつて英委任統治政府がユダヤ人やパレスチナ人に向けて制定したものである。これに対して、パレスチナにいたユダヤ人弁護士全員が「ナチスの法より悪質」と攻撃した。かつて反対した弁護士のなかには、のちのイスラエル法務大臣も含まれていた。しかし独立してしまうと、イスラエル政府はこの法がパレスチナ人に適用される限り非常に有効と判断し、積極的にこれを利用するようになった。

しかしこの法律も、イスラエルにとっては不充分だった。一九四九年にイスラエルは緊急法に新しい条項をもりこんだ。「安全地域」もその一つであり、これは、ある地域を安全上必要と宣言したら、住民は二週間以内に立ち退かなければならない、というものである。

ガリラヤ地方北部のパレスチナ人キリスト教徒の村イクリットは、一九四八年一〇月三一日、イスラエル軍に占拠された。村民は二週間だけ村を離れるよう命令され、当座の食糧だけをもって立ち退いた。しかしいつまでも帰村が許されず、村民はイスラエル最高裁に訴え、帰村は正当との判決を得る。しかし、その後村民が村に戻ろうとしたとき、この「安全地域」条項が適用され、村民がもう一度裁判所に訴えた直後の五一年一二月二五日のクリスマスの日、村は爆破されたのである。土地は近くの二つのユダヤ人入植地に分け与えられた。

緊急条項、土地取得法

そのほか一九四八年一〇月一五日に施行された「未耕作地開拓のための緊急条項」がある。これは放置されている土地を耕作する意志のある者の手に移すための条項だが、他の法律と組み合わされて用いられた。つまり、ある地域を「安全地域」なり「閉鎖地域」と宣言して、出入りを禁止すると、そこが未耕作地となる。そのあとこの法律を適用して没収し、耕す意志のある者、つまり近くのユダヤ人入植地に渡すわけである。キブツでは今でも「人の住まない荒れ地を緑にしたのはわれわれだ」と言ったり、「アラブ人はなまけ者だ」と言っているが、その背景にはこうした法律があるのである。しかしイスラエルの一般のユダヤ人は、これらの法律の存在を知らない。

一九四三年にイギリスが施行した「公益のための土地取得法」も適用された。政府の建物を建てるという理由で、ナザレの広大な土地が没収され、そこにユダヤ人だけ住める街、アッパー・ナザレが建てられた。

これ以外にも、村民を車に乗せて、国境まで連れていき、銃で追放した例は枚挙にいとまがない。一九四九年のアナン村、ヤシフ村、五〇年のマジュダル村の人々、そして五九年には多数のベドウィンが、ヨルダンやエジプトに追放されている。

こうして取得された土地は、すべてユダヤ国民基金の手に移され、そこからユダヤ人入植者に渡された。土地が政府のものなら、その土地は国民であるユダヤ人とパレスチナ人のために用いなければならないが、ユダヤ国民基金のものなら、ユダヤ人のためだけに用いることができるからである。

こうして最終的にイスラエルは、パレスチナ全土の七七％を得るようになったのである。

一九四八年から五一年にかけて、新生イスラエルに大量のユダヤ人移民が流入した。彼らの大多数はアラブ諸国のユダヤ教徒たちで、オリエント系ユダヤ人と呼ばれる。この人々は都市のスラムや、かつてのパレスチナ人の居住区のそばに新しく建設された居住区に住み着くようになるのである。

3　戦火の日々
——占領、弾圧、そして抵抗——

バグダード条約

一九四七年の国連決議の一・五倍の土地を手に入れたイスラエルは、この現状を維持することを願った。イスラエルは一九四九年五月に国連に加盟し、五〇年にはこの地域が英米仏三国の共同管理のもとに置かれるという宣言がなされた。さらにアメリカはソ連を封じこめ、中東における社会主義勢力の浸透を止めるため、バグダード条約を用意した。この条約は、各国の領土を現状のまま認めるという性格をもち、それはイスラエルには望ましいものだった。

しかしこの時期、アジア、アフリカの各地で反植民地主義、反帝国主義、民族独立運動が高揚期を迎えていた。イスラエルと和平交渉を行なおうとしたヨルダンのアブダッラー国王は、裏切り者だとして、パレスチナ人に暗殺された。アラブ連盟も、イスラエルと単独講和を結ぶアラブ国は連盟から除名することを決議した。イラク以外のアラブの国々は、自国内の民衆の反対を恐れて、バグダード条約に加盟しようとしなかった。さらにこれらの国々は、民衆の攻撃の矛先をかわすため、いっそう激しい調子でイスラエルを攻撃した。

このような動きに危機感をもったイスラエルは、力によって現状を認めさせる必要を感じていた。一九五三年、二人のユダヤ人が殺された報復に、イスラエル軍はヨルダンのキビア村を襲撃し、無抵抗の住民五〇人を殺害した。指揮をとったのは、現在(二〇〇二年四月)のイスラエル首相でレバノン戦争の責任者シャロンである。五五年二月、イスラエル軍はガザを襲撃し、四〇人のエジプト兵が寝込みを襲われて殺された。これらすべては挑発のためだった。

第二次中東戦争

何度目かのイスラエルによる挑発攻撃のあと、エジプトはアメリカに武器供給を依頼した。アメリカは、武器が欲しければバグダード条約に加盟するようにと迫った。それを断わったエジプトのナセル大統領は、ソ連に武器供給を依頼し、ソ連はこれを承諾した。ナセルのアメリカ離れはイスラエルの警戒心を育てた。ナセルはまた、イギリス軍をエジプトから撤退させた。これはいよいよイスラエルを慌てさせた。さらに決定的な事態が続く。ナセルは自国の経済向上の切り札としてアスワン・ハイダムの建設に着工したが、アメリカは一度約束していた融資を撤回し、イギリスと世界銀行がこれに続いた。資金に困ったナセルは、一九五六年七月、スエズ運河の国有化宣言を行なう。

エジプトがスエズを国有化しても、イスラエルには関係ないはずだった。それ以前も、イスラエルの艦船は通行できなかったのである。しかしイスラエルは、イギリスがエジプトを支配し続けることを望んだ。一方フランスは植民地アルジェリアに対してナセルの影響が及ぶことを恐れていた。こうして英仏イ三国の秘密同盟が生まれた。

一九五六年一〇月二九日、イスラエルはシナイ半島に侵攻した。三一日、英仏はエジプトを爆撃し、一一月五日に英パラシュート部隊がポートサイドに降り立つ。第二次中東戦争（スエズ戦争）が開始されたのである。アメリカとソ連の圧力で停戦が実施されたあとも、イスラエルは翌年三月まで撤兵を渋っていた。イスラエルのシオニスト各党派は右から左まで、国の安全のためにはシナイ半島の占領が必要だと考えていたのである。

カセム村事件

この戦争のさなかに、イスラエル中央部で、もう一つの虐殺事件が起こったことを記憶する人は、イスラエル内にも少ない。カセム村事件である。

一九五六年一〇月二九日、村民は、外出禁止令を申し渡された。命令発効のたった三〇分前である。多くの村民は遠くへ働きに行っていて、三〇分以内に村に戻れないことは明らかだった。命令を受けたイスラエル兵は、「女、子どもはどうするのか」と質問した。上官は「あわれみをかけるな」と言った。こうして、仕事から次々と帰村した村民四七人が、待ち伏せされ、並ばされて処刑されたのである。最後に死んだのは、トラックに乗っていた女性一四人を含む一七人である。

イスラエルでこの事件の報道管制を敷いている間に、ヨーロッパにこのニュースが伝わり、政府は事件を隠しおおせなくなった。責任者たちは裁判にかけられた。しかし次々と減刑され、判決から一年半で、全員が釈放される。しかもその一人は市役所のアラブ課の責任者として迎えられたのである。最高責任者は「単なる技術上の過失」を犯したとして、少額の罰金が科されただけだということは序章でふれたとおりである。

緊張高まる

第二次中東戦争のあと、英仏の武力介入が失敗したのを見た欧米各国は、エジプトのナセル大統領の機嫌をうかがい、アラブ諸国に取り入りはじめた。そのためイスラエルは孤立感を深めた。モサド(イスラエル秘密情報機関)が在エジプトのアメリカ大使館を爆破しようとして逮捕されたのも、エジプトとアメリカの関係悪化を狙おうとしたもので、危機感のあらわれだった。イスラエルは、アラブに石油がある限り、いつ欧米に裏切られるかわからないと考えた。イスラエルは欧米の「召使い」をやめて、早急に一人立ちする必要があったのである。しかも強力な国家になる必要が。

イスラエルが核爆弾の開発に踏み切ったのは、こうした事情からである。同時にアラブ諸国に対する挑発もエスカレートした。パレスチナ・ゲリラには大規模な報復爆撃を加え、しかもゲリラを抱える国々の村や町を狙った。これによって、その国がゲリラを規制することを期待したのである。この期待はそのとおりに実現されていく。

一九六七年、私がイスラエルに着いたのは、そうしたくり返しで、急激に緊張が高まっているときだった。五月五日、イスラエルは、国連の反対にもかかわらず、エルサレムで軍事パレードを行なった。エルサレムへの兵力の導入は、国連が強く警告していたのである。その日、エジプトのナセル大統領が、シナイ半島に戦車部隊を集結させた。一八日、エジプトの要請で、国連緊急部隊はシナイ半島から撤兵した。国連部隊はエジプトの要請で駐留していたのだから、エジプトに出ていって欲しいと言われると、撤兵せざるを得なかったのである。それでも国連が危機回避のために必要な努力をしなかったことは確かだった。

国連軍撤退によって、エジプト軍とイスラエル軍は、正面から対峙することになった。五月二二日、ナセルはアカバ湾の出口を封鎖した。これでイスラエルは紅海の石油補給ルートを断たれ、危機感は一挙に高まった。イスラエルでも和平派のエシュコル首相への圧力が高まり、ダヤンが国防相に就任し、右派のメナヘム・ベギンも入閣した。挙国一致連立内閣が誕生し、開戦の準備が整ったのである。

イスラエルには「アラブの脅威」を国民に宣伝すること以外に、戦争を必要とする理由があった。それは、イスラエルが経済的に最悪の事態に陥っていたからである。当時イスラエル経済を支えていたドイツからの巨額の賠償金支払い(ナチスに殺されたユダヤ人遺族に西独が賠償金を支払った)が終わったところだった。景気は後退し、失業は増え、イスラエルに来る移入民より、去る移出民の数が上回った。こうした状況のとき、イスラエルは戦争という手段で国内問題を切り抜けようとする。それは一九八二年の戦争のときにも言えることである。

第三次中東戦争

一九六七年六月五日午前七時、イスラエルはエジプトを奇襲攻撃し、一挙に数百のエジプト機を破壊した。前夜に上空を飛んだ米軍の偵察機のおかげだった。イスラエルは一瞬のうちに制空権を握った。ヨルダン軍が西岸地区から一掃され、ガザ地区とシナイ半島がイスラエルの手に陥ち、ゴラン高原も制圧され、最後に残ったシリアが停戦を受諾したのは六月一〇日だった。

この第三次中東戦争でイスラエルは、イギリスによって境界づけられたパレスチナの全土を手に入れた。そしてその月のうちに、東エルサレムを併合した。「嘆きの壁」の前の一三五軒の家が、直ちにブルドーザーで破壊され、住民は追放された。

意見広告

イスラエルが勝利に酔っていたときに、次のような意見広告が、イスラエルの日刊紙『ハアレツ』に署名入りで掲載された。

私たちには自衛する権利があるが、だからといって他者を抑圧する権利を持っているわけではない。

占領は外国勢力による支配を意味する。

外国勢力による支配は、抵抗運動を生む。

抵抗運動は、それへの弾圧を生む。

弾圧はテロと報復テロを生み出す。

テロの犠牲者は、ほとんど罪のない人々だ。

占領地を抱えることは、私たちを殺人者の国民に変える。

ただちに占領地から撤退せよ！

イスラエルの左派ユダヤ人たちによるこの意見広告は、世論の激しい攻撃を受けた。続いて予定されていた広告は、新聞社から掲載を断わられた。

しかしこの三五年後の現在の状況は、この意見広告の内容が完全に正しかったことを証明している。

PLOとファタハ

アラブ諸国は、パレスチナ問題に対しては、無策を露呈していた。それどころかこれらの国々は、パレスチナ人の民族主義を封じ込めることに、精力を注ぐのである。

アラブ連盟は一九六四年に、自らの主導権の下にPLO（パレスチナ解放機構）を設立したが、初代議長のシュケイリは、口でイスラエルを非難するだけで、何の行動も起こさなかった。こうしたPLOが、アラブ諸国にとっては都合がよかったのである。

PLOとは別のところで、パレスチナ・ゲリラの組織が誕生していた。その一つファタハ（パレスチナ解放運動）が武装闘争を開始するのは、一九六五年である。PLOの管理の外で活動するファタハは、アラブ各国で弾圧された。しかし六七年の第三次中東戦争は、ファタハを大きく浮上させる。アラブ諸国の壊滅的な敗北で、パレスチナ人は自分の手で祖国の奪還をはかるほかないと悟ったのである。

ファタハは自らを「運動」と名乗るとおり、武装闘争と指揮系統の統一という以外には、何の綱領ももっていなかった。だからファタハには、パレスチナ人のあらゆる階層が思想を超えて参加してきた。ファタハは「ユダヤ人を海へ」というかつてのスローガンを排し、新しく「民主主義的・非宗教的パレスチナの建設」をスローガンに採択した。つまり、ユダヤ教徒もキリスト教徒もイスラム教徒も差別なく平等に生きられる社会を目指すというのである。この方針はのちに、PLOのスローガンとして採用された。

ファタハは、一九六八年三月に、ヨルダン川東岸のカラメのパレスチナ・キャンプに侵攻してきたイスラエル軍を撃退したあと、一挙にその地位を高めた。そして六九年二月にはファタハの指導者だったアラファトがPLO執行委員会議長として就任し、PLOでゲリラ勢力が実権をとることになったのである。

ファタハはパレスチナ・ゲリラの過半数を占めていた。第二の勢力をもっていたのはPFLP(パレスチナ解放人民戦線)である。しかしその後、これらの組織は分裂をくり返す。ファタハからはアブ・ニダル派が追放される形で出ていき、PFLPからはPDFLP(後のDFLP=パレスチナ解放民主戦線)、PFLP・GC(総司令部派)、PLF(パレスチナ解放戦線)、

PSF(パレスチナ闘争戦線)などが誕生していった。これはパレスチナ解放の進め方をめぐる対立や、バックアップする国々の対立などによる。最初からアラブ諸国のひもつきで生まれた組織もあった。シリア系のサイカ(雷光)、イラク系のALF(アラブ解放戦線)である。

占領、弾圧、テロ

イスラエルは、一九六七年以前よりも、もっと危険な状態に置かれていることを思い知らざるをえなかった。バス・ターミナルなどで、頻繁に爆発事件が続いた。六八年一一月には、エルサレムの市場で爆発事件があり、一二人が死亡、一二月にはアテネで、エルアル機(イスラエル国営)が攻撃された。その報復にイスラエルは、ベイルートのMEA(中東航空=レバノン国営)機を一三機破壊した。六九年二月には、チューリッヒのエルアル機が攻撃され、八月にはレバノン南部からパレスチナ・ゲリラによるカチューシャ・ロケット攻撃、そしてガザ地区でも手榴弾の爆発事件があい次ぐ。占領は弾圧を生み、弾圧はテロを生み、テロは報復テロを生むと予言したイスラエル左派の言葉のとおり、事態は進展したのである。

イスラエル政府は、ゲリラ活動に厳罰で対処していった。一人のゲリラが出たら、彼の家族の住む家を爆破し、やがて付近の住居全部をダイナマイトとブルドーザーで破壊した。共同懲罰刑を科したのである。ヨルダン川西岸地区のヒルフール市では、一度に三〇軒の家が破壊された。やがてガザ地区のキャンプでは、イスラエル軍のパトロールが行ないやすいようにと、家々を破壊して道路が広げられることになる。

子どものデモでも容赦なかった。死者が増え、ヨルダンへの追放、逮捕、拷問が伝えられるようになる。ナチスの迫害にあった人々が、他の人々を拷問するなどとは信じなかった国際社会も、アムネスティ・インターナショナルや国際赤十字が多くの証拠資料を提出するに及んで、信じるほかなくなった。そのほか、ヨルダン川を渡って戻ってこようとしたパレスチナ難民が、女・子どもの区別なく、警告なしに次々と殺害されていったこともイスラエルで暴露された。

こうした事態の進展にもかかわらず、アラブ諸国は、第三次中東戦争で失った領土をイスラエルが返せば、和平は可能だと考えていた。しかしそうした和平会議の提案をイスラエルが蹴ったあと、イスラエルの爆撃でエジプトの小学生三〇人が殺された。エジプトはソ連からミサイルを導入し、防衛を固めた。これはイスラエルの軍事的優位をくつがえした。エジプトは対等な立場に立って、和平への道を模索しようとしたのである。

ヨルダン内戦

パレスチナ人抜きで進められるこうした和平の動きを警戒したPFLPは、一九七〇年九月、スイス航空、TWA、BOACの三機をハイジャックし、ヨルダンの首都アンマンに降り立ち、爆破した。和平ムードを壊すのと、ヨルダンのフセイン国王を苦境に陥れ、ヨルダンで革命を起こすことが目的だった。フセイン国王はパレスチナ・ゲリラ基地への攻撃を開始した。ヨルダン内戦である。これは翌七一年六月まで続く。そしてその結果、パレスチナ人の死者は二万人を数え、ＰＬＯはヨルダンを追放されたのである。

　フセイン国王のパレスチナ人弾圧は七〇年九月に起こったため「黒い九月」と呼ばれているが、やがて同じ名のパレスチナ人テロ組織が誕生し、これが七二年九月にミュンヘン・オリンピック村を襲撃し、イスラエル選手団に犠牲者が出ることになる。

　ヨルダン内戦でＰＬＯは壊滅したと考えた世界の人々は、この事件や同じ年の五月三〇日に日本赤軍の三人が引き起こしたテルアビブ空港（現ベングリオン空港）襲撃（二六人殺害）など熾烈な作戦によって、パレスチナ問題が依然として続いていることを知ったのだった。しかしイスラエル側は、その年九月にレバノンのパレスチナ・キャンプを爆撃、数百人を殺害し、七三年二月にはリビア航空機を撃墜し一〇四人を殺害、四月にはベイルートを奇襲し、ＰＬＯの幹部を殺害して報復したのである。

4 キャンプに築かれたもの
――レバノン内戦とPLO再建――

一九七一年七月、パレスチナ・ゲリラは完全に敗北し、ヨルダンから追放され、PLOはレバノンのベイルートに本拠を移した。このあとアラブ諸国は、イスラエルが第三次中東戦争の占領地から撤退しさえすれば、イスラエルの存在を認めてもいいという、現実路線に傾いていった。

第四次中東戦争

一九七三年一〇月六日に第四次中東戦争(あるいは一〇月戦争、イスラエルは贖罪日《しょくざい》《ヨーム・キプル》戦争と呼ぶ)が起こった。イスラエルは敗北したわけではなかったが、初めて経験する勝利なき戦争だった。

この成果の上に立ってエジプトは、今こそイスラエルと対等の立場で和平を論じる時だと考えた。そしてPLOもこうした傾向への対応を迫られたのである。

現実派と拒否戦線

パレスチナ難民が生まれてからこの時すでに二五年が経過していたが、パレスチナ解放は遠のくばかりだった。こうしたなかで「すべてか無か」というやりかたではなく、イスラエルの存在を承認し、占領地撤退を求めるという現実的要求を考えるべきではないか、という議論が起こる。こうしてヨルダン川西岸地区とガザ地区にパレスチナ国家を建設するという「ミニ・パレスチナ国家」案が浮上した。

一九四七年の国連分割案は、パレスチナの五二%をユダヤ人に与えると約束し、第一次中東戦争の結果、イスラエルはパレスチナの七七%を手に入れた。残りは二三%になってしまったのである。そして第三次中東戦争でそれらを失ったあと、二三%だけでもいいからそこにパレスチナ国家を樹立すべきだというのが「ミニ国家」案である。

ファタハはこの案に傾いた。しかしPFLPを中心とする勢力は、「拒否戦線」を組織して激しく対立した。彼らに言わせると「ミニ国家」では離散したパレスチナ難民を収容することができないし、問題を生み出したシオニスト国家イスラエルを承認することになる、というわけである。さらにPLOが誕生した一九六四年にはまだ、ヨルダン川西岸地区もガザ地区もイスラエルに占領されていたわけではないという事実も喚起された。当時PLOが「パレスチナの解放」と言うとき、それは西岸やガザを指していたわけではなく、一九四八年に建国されたイスラエルのことを言っていたわけである。拒否戦線は、「ミニ国家」案は、パレスチナ解放をあきらめることと同じだと論じた。現実派のファタハは、PLOは敗北を重ね続けたのだから、具体的に可能なところから取りかからなければならないのだと述べた。一方DFLPは、まず西岸とガザを解放して、そのあと全パレスチナの解放に取りかかればよい、と述べた。これは当時、二段階革命論と呼ばれた。

この問題は一九七四年六月のPNC(パレスチナ民族評議会)で一応の決着がついた。「少しの土地でもシオニストの手から解放したら、その土地に民族的権威(ナショナル・エンティティ)を樹立していく」という内容の宣言が採択され、こうした表現によってこの問題を乗り越えようとしたのである。

アラファトの国連演説

その後アラファト指導下のPLOは、政治的躍進の時代に入った。一九七四年一〇月のアラブ首脳会議(モロッコのラバトで開催)は、PLOを唯一正当な代表と認め、パレスチナ国家建設の権利を承認した。そして一一月にはアラファト議長は国連で次のような演説を行なったのである。

「革命家とテロリストの違いは、何のために戦っているかという点にあります。正しい目的をもって、自分自身の土地を、侵入者、入植者、植民地主義者から解放し、自由にしようとしている者を、決してテロリストと呼ぶことはできません。でなければ、イギリス植民地主義者からの解放のために戦ったアメリカ人は、テロリストになります。ヨーロッパでのナチスに対するレジスタンスはテロリズムになります。……そしてこの総会場におられる数多くの人々もテロリストということになるでしょう。

今日、私はオリーブの枝と自由の戦士の銃をもってやってきました。どうかオリーブの枝を私の手から落とさせないで下さい」

国際政治の舞台における成功に伴って、国連総会は、パレスチナ人の自決権、独立国樹立権、ＰＬＯの唯一正当な代表権などを決議していった。世界でＰＬＯを承認する国の数は、イスラエルを承認する国を上回るまでになった。しかしそのパレスチナ人たちに、今度はレバノンで、試練が待ちうけていた。

レバノンとPLO

レバノンに住むパレスチナ人の多くは、一九四八年の第一次中東戦争で難民となってこの国に来た人々である。当時の数は一四万人ぐらいだった。その後一九六七年、七〇年と、新たな難民がヨルダンやシリア経由でやってきた。三五万人にのぼるこの人々は、レバノンに約一五あるパレスチナ・キャンプに住むことになる。

やがてレバノンは、パレスチナ人のゲリラ基地になり、レバノン南部はＰＬＯの「解放区」のようになっていった。そうした状態をイスラエルが認めるわけはない。ゲリラ活動でイスラエルに犠牲者が出ると、イスラエルはレバノンのパレスチナ・キャンプだけでなく、レバノン人の村や町も攻撃した。

レバノン南部の農村は破壊され、家と畑を焼かれた農民は、都市周辺のスラムに流れ込んだ。これらの農民はイスラム教シーア派の貧しい人々が多かった。焼け出されたこれらの人々のなかには、PLOがイスラエルを挑発するからこんな目に会うのだ、とパレスチナ人を憎む人もでてきた。それがのちになって、シーア派の「アマル」という民兵組織による、パレスチナ・キャンプ攻撃につながっていく。

フランスとマロン派

しかし当時のレバノンは、むしろ別の国内矛盾で一触即発状態にあった。もともとこのレバノンは、さまざまな宗派がモザイクのように入り組んでいて、そのためオスマン帝国の時代からフランスはこの宗派間抗争をあおりたててきた。特にマロン派キリスト教徒社会をバックアップする形で、植民地主義の浸透をはかってきたのである。

こうしたことが、支配階層のマロン派キリスト教徒にだけ利益を生み、他の人々に貧困をもたらすという構造を育てていったのは当然だった。やがてイスラム教徒の人口は、キリスト教徒よりも圧倒的に多くなった。しかし政府は人口調査を拒む。こうして矛盾が鬱積していった。そして支配者の利益を守るため、マロン派のピエール・ジュマイエルの手によって、ナチスを真似た「ファランジスト」という民兵組織がつくられた。

レバノン内戦

一九七五年二月二六日、レバノン南部のサイダ(シドン)市で、マロン派の元大統領シャムーンの会社が漁民の権利を取り上げたとき、それに反対するデモが起こった。このときサイダ市長が撃たれ、やがて死亡した。これによって騒ぎは大きくなった。

四月一三日、パレスチナ人の乗ったバスが、ベイルート郊外で襲撃され、女や子どもを含む二七人が死亡する。ここで一挙に戦闘が拡大した。レバノン民族運動とパレスチナ人の左派ゲリラ組織の共闘が始まった。

アラファト議長は、ヨルダン内戦のときもそうだったが、このときも当初は政治的解決を求めていたし、また民族主義者として、他国の内政への不干渉という立場を貫いていた。しかし七六年一月、タルザータルという名の人口三万人のパレスチナ・キャンプが、ファランジストや他のマロン派組織タイガー(シャムーン大統領派民兵)に包囲された段階で、とうとうファタハが介入した。

PLOの全面介入によって、ファランジストの敗北は決定的になった。レバノン民族運動とPLOは、レバノン全土の八〇%を支配するまでに勢力をのばした。

このときシリアが介入した。シリアはそれまでPLOを支援していたが、レバノンに急進的政権が誕生することは自らの体制を危うくする、と考えたのである。シリアとPLOが戦っている間に、タルザータル・キャンプが陥落した。八月一二日のことだった。死者三〇〇〇人、そのうち一〇〇〇人近くは、降伏してキャンプから出てきたときに処刑された。

レバノン内戦は二万人の死者を出して一九七六年一一月に終結した。新しいレバノンの陰の支配者は、シリア大統領アサドだった。シリアはアラブ平和維持軍の名のもとに、レバノンに合法的に進駐した。
満身創痍のPLOの再建のために、アラファト議長は再び政治・外交手腕を発揮した。シリアと協定を結び、PLOはレバノン南部に「解放区」をもったのである。

レバノンのパレスチナ・キャンプを中心に、PLOは準国家機構を準備していった。

パレスチナ・キャンプで

PLOの資金は、離散したパレスチナ人、特に湾岸諸国(アラブ首長国連邦、クウェートほか)で働いている人々の拠出金によって成り立っていた。この金はパレスチナ国民基金に集められる。額は収入の五―一〇%と定められている。また各国からの支援金も、この国民基金に集められる。

このほかPLOは「サメッド」(犠牲者の家族のための福祉団体)をもち、このサメッドは一九八二年にイスラエルの爆撃で焼かれるまで、レバノンを中心に三〇の工房や工場を運営していた。衣服、靴、家具、民芸品などが、ここで作られていた。またPLOは、WAFA(パレスチナ通信社)、パレスチナ放送、パレスチナ研究所、美術館、映画・写真センター、パレスチナ赤三日月社(医療機関)などをもっていた。病院や診療所は各キャンプにあり、そこでは民族、国籍、宗教の違いを超えて、貧しい者は無料で診療を受けることができた。

さらにパレスチナ婦人総同盟は、タルザータルのキャンプで両親を失った子どもたちのために、寄宿学校を建設した。そこには母親がわりの女性が一緒に住み、戦火や虐殺で非常に不安定になっている子どもたちの面倒を見た。

パレスチナ・キャンプの中に限れば、パレスチナ革命はすばらしいさまざまなものを創出していた。こうしたことはやがて世界に伝えられ、「テロリストの巣」というイメージとかけ離れた、人間らしい生活や文化がキャンプにはある、と理解され始めるようになったのである。

さらに国際舞台でPLOが躍進し、一九七六年には占領地区内の自治体選挙でも、PLO支持派が圧勝した。こうした状況の中でイスラエルは、政治的・軍事的存在としてのPLOを壊滅させるほかない、と考えるようになっていったのである。

5　大虐殺の現場で
――レバノン戦争とベイルート事件――

国際的孤立の中で、イスラエルに変化が起こった。レバノン内戦が終結した翌年の一九七七年六月、イスラエルで右派リクード政権が誕生し、メナヘム・ベギンが首相となったのである。ベギンは一九四八年四月九日のディル・ヤーシーン村虐殺事件の責任者である。

サダトのイスラエル訪問

ベギン政権は、好機到来とばかりに、占領地に入植地を増やし、レバノンにおけるPLOの政治的・軍事的存在を叩き潰そうと、着々と計画した。

こうしたときに、イスラエルとエジプトの和平工作が進められた。エジプトにとっては、財政赤字解決のために、アメリカの援助が必要だった。さらにイスラエルとの緊張が緩和されれば、エジプトは膨大な軍事費を国内対策に向けることができるということもあった。

エジプトのサダト大統領は、ベギン政権の誕生したその年にイスラエルを訪問し、エルサレムの国会で演説するという劇的な行為をやってのける。一一月一九日のことである。

「平和を」と叫ぶサダト大統領に、世界は大喝采を送った。しかし当のパレスチナ人は和平が、パレスチナ問題を棚上げにしたものだと見抜いていた。

キャンプ・デービッド合意

その後もアメリカ主導のもとで、PLO抜きの和平工作は進められ、翌一九七八年九月一七日、アメリカのカーター大統領、サダト大統領、ベギン首相の三人によるキャンプ・デービッド合意(会談の場所の名をとってこう呼ばれた)が発表された。私がベイルートにいたとき、この模様がテレビで映し出された。サダトとベギンが抱き合っている姿を見て、パレスチナ人たちが頭を抱え込んでくやしがっていたのを覚えている。パレスチナ・キャンプでは、反キャンプ・デービッド合意のデモがわき起こった。

このキャンプ・デービッド合意は、エジプトとイスラエルの平和条約締結と、パレスチナ自治交渉という二つの内容をもっていた。平和条約については、翌七九年三月に調印され、第三次中東戦争でイスラエルが占領したシナイ半島も八二年にエジプトに返還された。

もう一つのパレスチナ自治交渉の問題は難航した。イスラエルは、八〇年の七月になって、東西エルサレムを永久首都化する法案を国会で通過させたのである。それによってエジプトはイスラエルとの交渉を中止せざるをえなくなった。エルサレム永久首都化法案は世界のほとんどの国の反対にあった。エルサレムに大使館を置いていた国でもテルアビブに引き揚げたほどだった。

キャンプ・デービッド合意は、実質的にイスラエルから南の大敵エジプトの脅威をとり除いた。これによってイスラエルは北の敵(レバノンのPLOとシリア)への全面戦争を行なう準備を整えたのである。しかしサダト大統領は八一年一〇月に、不満をもつ国民に暗殺された。それでもエジプトの政策は、基本的にはサダト路線を引きついだ。

イスラエルの国内矛盾

だが、イスラエルは単に南の脅威が去ったからというだけで、PLOの全面抹殺にのり出したのではなかった。イスラエルが戦争をしかけるときは、巨大な国内矛盾が噴き出しているときなのである。

まずインフレがあった。物価が毎日はね上がり、給料が出たらすぐに商品を買わないと、翌月末では買えなくなってしまうほどだった。人々は争って闇ドルや、地金や、他の不動産に群がった。

次にベギン政権の危機があった。八一年五月の総選挙では、たった一議席の差で、ようやく政権が維持されるほどだった。それも選挙の直前に、イラクの原子炉爆撃ということまでやって、イスラエルの安全を守ることのできるのはベギン政権だ、と宣伝したあげくのことである。

もう一つイスラエルは深刻な国内問題を抱えていた。イスラエル最大の外貨獲得産業であるダイヤモンド加工業がこのとき危機状況に陥っていたのである。

一九八二年六月四日と五日、イスラエルはレバノン南部を中心に猛烈な爆撃を行なった。六日にはイスラエルの大機甲部隊がレバノン国境を越えた。制空権は最初からイスラエルの手にあった。イスラエルはエジプトのことを全く気にしないで、全軍を北にだけ集中することができたのである。PLOの兵力は一万二〇〇〇—一万四〇〇〇人、一方のイスラエルは予備役まで入れると五〇万人近く、そして空軍、機甲部隊とも、圧倒的な兵力を誇っていた。

レバノン戦争

開戦の理由は、イスラエルの駐英大使が何者かに襲撃されたからだとされた。しかしその理由では、そのずっと前からのイスラエル軍の周到な計画の説明がつかない。

イスラエルはこれを「ガリラヤの平和作戦」と名付けた。レバノンに基地をもつPLOからの砲撃で、イスラエル北部ガリラヤ地方のユダヤ人居住地が被害をうけているので、射程距離である国境四〇キロ以内のパレスチナ人「テロ」基地を破壊するための作戦だというのである。

これも、調べればおかしいことばかりだった。ノーベル平和賞受賞者ショーン・マクブライドの主宰する国際調査委員会の調べによると、次のとおりである。

「シャロン将軍の発表によれば、一九八二年までの一五年間に、一三九二人のイスラエル人が、PLOの暴力行為によって命を落したという。イスラエルの独立系新聞『ハアレツ』は、この数字を厳密に検討した結果、非常に興味深い結論に達した。イスラエルの警察資料によれば、この一五年間にPLOの犠牲になったイスラエル人は、イスラエルおよびヨルダン川西岸とガザの占領地で死亡した二八二人にすぎなかったのである」

犠牲者はガリラヤ地方では、ほとんど出ていなかった。だからガリラヤ地方の平和を理由に、イスラエルが大規模な軍事行動を起こすことは正当化できないはずだった。

一方イスラエルの空爆その他によるパレスチナ人、レバノン人被害者の数は、この一五年間で数千名をかぞえる。さらにイスラエル軍がレバノンを侵略爆撃したあと一九八一年七月に停戦が実施されて以来、PLOからの攻撃はなかった。停戦違反は八二年四月二一日と五月九日にイスラエル側からなされ、このときはじめてPLOはガリラヤ地方に砲弾を撃ち込んでいる。つまり「ガリラヤの平和作戦」以前は、イスラエルの挑発による以外は、平和は保たれていたし、これ以降、ガリラヤ地方の平和は乱されることになったのである。

無差別爆撃

レバノン南部のパレスチナ・キャンプは瓦礫に変わっていった。レバノン人の町や村も炎上していった。爆撃は、一般市民の住宅だろうが、基地だろうが関係なく、病院も学校もターゲットにされた。六月八日になって、シリア軍が全面的に介入したが、翌九日にイスラエルはシリア空軍とミサイル基地を破壊した。

南レバノンから、家を失った難民がベイルートに流入し、パレスチナ・キャンプの人口はふくれ上がった。八日には国連の停戦案を、PLOとレバノンが受諾したが、イスラエルは拒否した。そしてアメリカは、国連安保理事会のイスラエル非難決議に拒否権を行使したのである。

家を失った難民の数は六〇万人にもなった。一三日にはイスラエル軍はベイルート近郊にあるレバノン大統領府を占拠し、これによってダマスカス街道が封鎖され、ベイルートは包囲された。この日の爆撃で一五〇〇人の市民が殺され、触れただけで爆発するクラスター爆弾もばらまかれ、逃げまどう人々が、これに触れて爆死した。

最新兵器の実験場

イスラエルが用いた残虐兵器は、クラスター爆弾のほかに、黄燐爆弾がある。これは高熱を発して爆発し、その一部でも体に付着すると、ブスブスと体を焼きながら体内深く入り、水をかけると化学反応を起こして手がつけられない。焼けた跡には円錐状の穴があくのである。さらにシェルター専用爆弾も使われた。これはコンクリートの壁をいくつも貫いたあとで爆発するので、シェルターに逃げこんでもやられてしまう。また真空爆弾の使用も報告された。これは一瞬の間にビル一つを完全に破壊することができる。

レバノンは、かつてベトナムがそうであったように、アメリカの最新兵器の実験場となった。実際、この戦争のあとアメリカの軍事調査団が、使用兵器の威力を調べるため、何度もイスラエルを訪れた。またイスラエルの兵器メーカーは「レバノンでその優秀性が実証されたイスラエル製爆弾、兵器をどうぞ」と世界にコマーシャルをうったのである。このときイスラエル軍は最新鋭戦車メルカバを投入するが、これには日本の三菱製の暗視スコープが用いられていると、スウェーデンのSIPRI(ストックホルム国際平和研究所)年鑑が発表している。

六月一四日、イスラエル軍とレバノン右派民兵ファランジストは、公然と共同作戦をとり始めた。一五日までの死者は、レバノン警察が確認しただけで九五八三人、負傷者は一万六六〇八人。病院は入院患者の九〇%が一般市民、六〇%は女性と子どもと発表した。

レバノンのサルキス大統領は、二〇日に救国委員会を開催し、PLOの降伏とシリアの撤退をよびかけた。

イスラエル軍が南部を平定するに伴い、パレスチナ・キャンプの病院の医師たちが、逮捕され、拷問されていった。またイスラエル軍は、レバノン人の捕虜には裸の背中に黒いX印を、パレスチナ人には白いX印をつけた。これはナチスがユダヤ人にダビデの星印をつけることを強要したことをほうふつさせ、世界中の非難をあびた。

ベイルート大爆撃

ベイルートには、パレスチナ人のほかに四〇万人のレバノン人がいた。イスラエル軍は停戦違反をくり返しながら、そのベイルートの包囲を完成させていった。六月二七日、七〇〇台の戦車、二一〇基の榴弾砲が集結し、ベイルートを瓦礫に変えた。国際赤十字の緊急物資も、世界各国からの援助物資も、ベイルート搬入を阻まれた。

六月一三日から二五日までが、ベイルート爆撃の第一波である。二八日にはシーア派民兵組織のアマルも、PLOの立ち退きを迫る。レバノン国民の中に、PLOがいるから犠牲者が出るのだ、という空気が広がっていった。そして「ベイルート市民をこれ以上イスラエルの砲火にさらすか、名誉ある撤退か」の二者択一を迫られたPLOは、二八日に条件つき撤退案を発表した。

しかしイスラエルは七月五日から一二日までの第二波の大爆撃で、これに答える。そして第三波の爆撃は七月二二日から八月一二日まで、かつてない最大規模の激しさで休みなく続くことになる。

世界中がイスラエルを非難したが、具体的に手を差しのべる国はなかった。PLOは実質的に世界中から見捨てられていた。

徹底的な破壊がくり返されるなかで、「もう戦争はこりごりだ。イスラエルも、シリアもPLOも、みんな出ていけ!」という声がレバノン人の中に高まっていった。そして事態を見守る世界のジャーナリズムの関心は、おかしなことにイスラエル軍の撤退ではなくて、PLOの撤退だけに向けられた。

無差別爆撃が続いた。八月五日付のレバノンの『アッサフィール(仲介者)』紙は「ベイルート燃ゆ、されど降伏せず」の大見出しを付けた。

PLOの撤退

ベイルートは廃墟の一歩手前だった。PLO本部のあるファクハニ地域も、瓦礫に変えられていった。シェルターに逃げ込んだ住民の上に建物が崩れて生き埋めになっても、なすすべはなかった。ＰＬＯは最後の要求として、パレスチナ人の生命の安全の保障と、そして威厳ある撤退を求めた。

南部のアイネヘルウェ・キャンプも、ラシディーエ・キャンプも、すでに完全な瓦礫になっていた。そしてイスラエル支配下の他のキャンプでは、レバノン右派民兵が人々を襲い、虐殺をくり返していた。ＰＬＯがレバノンにいるかぎりパレスチナ人を殺し続けるぞ、という脅迫だった。

八月一二日は、四万発の爆弾が投下された。そうして、ようやく戦争は終わった。パレスチナ・キャンプは半ば白骨化していた。住民たちは悄然として瓦礫の中から這い出してきたのである。

最終合意案によるＰＬＯの撤退は、仏、伊、米軍の監視のもとで、一五日間で終了すべきとされた。アメリカとイスラエルは、残ったパレスチナ人の生命の安全を保障した。それを見守るのも仏、伊、米監視軍の役割だった。

八月二一日、フランス軍の到着とともにＰＬＯの撤退が開始され、各国に離散していった。二九日には、パレスチナ赤三日月社で働いていた信原孝子医師もベイルートを離れ、九月一日にはすべてのＰＬＯ軍、シリア軍がベイルートを離れた。

こうして死者一万九〇八五人、負傷者三万三〇二人、孤児となった子ども約六〇〇〇人、家を失った人約六〇万人を出したレバノン戦争は、一応の終結をみたのである。

西ベイルート侵攻

ＰＬＯ撤退で、外堀が埋められ、続くレバノン左派民兵組織の武装解除で、内堀も埋められ、キャンプのパレスチナ人は、丸裸で占領軍と向き合うことになった。国際監視軍は、パレスチナ人住民の安全を約束したはずだった。ところが、九月一〇日にアメリカ軍が、一一日にはイタリア軍が、一二日にはフランス軍がベイルートを去っていった。定められた駐留期間をかなり残したこの突然の撤退は、人々の間に大きな不安を育てた。

九月一三日、イスラエル軍はベカー高原を大爆撃する。このとき小学校と薬局も破壊された。私は八月末からレバノンの取材に行っていたが、このとき泊まっていた病院に、全身を火傷させられた少女、頭を半分吹き飛ばされた人の死体などが次々と運びこまれてきた。

一四日午後五時半に、私は西ベイルートに入った。その直前に大統領に選出され就任式を待つばかりになっていたバシール・ジュマイエルが暗殺された。ファランジスト党本部が爆破されたのである。翌一五日、イスラエル軍が西ベイルートに侵攻した。この日の朝三時半、イスラエル軍の北部方面司令官は、ベイルートでファランジスト指導者に会っている。司令官はジュマイエル暗殺の下手人がパレスチナ人であると言って報復をすすめたという(実際にはジュマイエルはレバノン人に殺された)。

この日の朝五時、私はベイルートの低空を旋回するイスラエル爆撃機の音で目を覚ました。

BBCニュースをつけると、ジュマイエルの死がくり返し流されている。そして五時半にイスラエル陸軍は、メルカバ戦車を先頭に西ベイルート侵攻を開始した。私が駆けつけたとき、メルカバ戦車はファクハニ地域に入ったところだった。その少しあと、私の目の前で、アラブ大学への砲撃が開始されたのである。

翌一六日午後二時、私のいたベイルートのアメリカン大学病院近くは、猛烈なイスラエル戦車の砲火にさらされた。ベイルートのパレスチナ・キャンプは、イスラエル軍に完全包囲されていた。そしてこの日、キャンプに右派民兵が導入され、非武装のパレスチナ住民の虐殺が開始された。何が起こったのか分かったのは、一八日のことである。

サブラ、シャティーラの虐殺

一九八二年九月一八日になった。パレスチナ・キャンプが包囲されたことは、前日の放送で知っていた。いやな予感がした。私はできれば寝ている間に時間が経過することを望んでいた。私はベッドに体が縛りつけられたように感じていた。ベイルートで二日間続いた戦闘の取材で疲弊しきっていた。レバノンの人々とともに、私もまた占領され、敗れたように感じていた。想像力をはるかに越えたイスラエル軍の破壊力の前に、自らも裸でさらされているような想いを持っていたのである。

行かない理由が見つからなくなったとき、私は重い腰をあげて、現場に向かった。

キャンプの東北の入口に着いたのは八時半頃だった。そこはイスラエルの戦車が封鎖していた。私は追い返され、南東の入口から入ったが、人っ子一人見えない。砲弾が私のすぐそばで爆発する。私はキャンプを出て南の入口に向かった。黒煙をあげているアッカ病院を過ぎ、砲撃でひきちぎられて散乱する松林の、松の枝と葉をよけて通りながら、身を隠す場所さえなくなってしまった大通りを海の方に歩いた。あたりはなぎ倒される樹木の、特に松脂の匂いに包まれていた。そしてシャティーラ・キャンプの入口の目印となっている二本のユーカリの大樹のところで、私は座りこんでしまった。

目の前に破壊されたキャンプがあり、妙にさびしく広々として見える。すぐ手前では、壊れた水道管から水が流れ出している。水の一滴が血の一滴より貴重だといわれたベイルートで、のどをうるおすべき人間が一人も見えない今、美しい水が湧き出ていた。左の丘の上にイスラエル軍の監視所があり、そこからヘブライ語なまりのアラビア語が拡声器を通して聞こえてきた。あとで聞くと「住民は投降せよ」と呼びかけていたのだという。確かにDFLPともレバノン共産党ともいわれる少数のゲリラが、絶望的な戦いをいどもうと試みた記録がある。しかしそれはキャンプ住民、特に病院の医師たちによって制止されている。その後キャンプの人民委員会の長老たちが、白旗をかかげて、包囲するイスラエル軍およびレバノン右派民兵と交渉するため、シャティーラの入口の近くに歩いていった。そして彼らは、このユーカリの樹の左の坂のところで、至近距離から射殺されたのだ。白旗をかかげた老人を射殺する者の呼びかける「投降」とは、一体何を意味するのか。

サブラ大通りで、瓦礫とともにぐしゃぐしゃに砕けた男の死体が二つあった。その先に杖のころがったわきで、手を胸のところに固く握りしめる老人が一人、その近くのもう一人の老人の体の下からは、安全ピンを抜いた手榴弾が見えた。この死体にふれると爆発する仕掛けになっていると理解するまで、かなりの時間がかかった。道いっぱいに脳漿が吹き飛んで、そこにハエが群らがる中で、私はぼうぜんと立ち尽くした。

一人が、路地にうつぶせに倒れていた。男か女か分からないが、ハンカチを頭の上にかぶせてある。のちの証言によると、この人は頭をオノで割られたのだという。男たちが折り重なって倒れていたのは少し丘に上った土の壁の前で、そこには無数の弾痕が見えた。そして一軒の家の庭には、その家の住民と思われる女と子どもたちが、やはり瓦礫の上に投げ出されていた。一番上に幼児が、うつぶせになっているのは、おそらく叩きつけられたのだろう。さるぐつわをかまされた女性が、服をひきさかれて死んでいた。チェックのスカートの女の子が、手を差し伸べるようにして殺され、その隣りに歩いているような姿勢で殺された男の子は、首を針金のようなもので縛られていた。別のガレージには、縛られてトラックにひきずられてきた人々が殺されていた。背の低い小柄な老人が、胸の上に鍵を置いて死んでいた。パレスチナ人たちは、いつか故郷に戻る日のために、かつての自分の家の鍵をいつも持ち歩いている、という話を私は思い起こした。別の扉の前には、バドワイザーやコーラの空缶と一緒に、杖をついた義足の老人が体を丸めて死んでいた。

しかし私が入ったときはまだ、キャンプの奥では虐殺事件が進行中だった。私はもしものことを考えて、胸ポケットに小型のカセット・レコーダーを入れて歩いたのだが、私の足音にまじって銃声が録音されている。昼前になってようやく国際赤十字が十数台の車を連ねて入ってきた。その後ジャーナリストたちが入ってきた。

真相

この虐殺事件は、そのあとオスロやジュネーブや、パリや、テルアビブや、東京などで調査委員会の公聴会が開催されるにつれて、真相が少しずつ明らかになっていった。それによると、虐殺は九月一六日に始まった。私がベイルートのアメリカン大学病院で取材していたときである。

朝の一一時二〇分、イスラエル国防省が「テロリストの巣窟である難民キャンプは、包囲され封鎖された」と発表した。一九四九年のジュネーブ条約は、包囲下の人々の安全は、包囲者が全面的に責任をもつ、と定めている。だからこの段階でキャンプの人々の生死の責任は、完全にイスラエルの手に移行したと考えられる。

一一時四五分、イスラエル北部方面司令官は、レバノン右派民兵のキャンプ導入について、ファランジストの司令官ホベイカと打ち合わせている。この男は一九七六年のタルザータル・

キャンプの虐殺を指揮した人間だった。このときホベイカは、イスラエル軍司令官に、キャンプでカサハ(切り刻むこと)が起こると明言し、作戦名を「カサハ」とした。そのあと民兵はベイルート空港に集結する。

正午、負傷者がサブラ・キャンプのガザ病院にかつぎこまれ始めた。三〇人は治療の前に死亡した。午後三時、イスラエル軍のベイルート司令官は、ファランジストの司令官に会ったあと、シャロン国防相に「友人たちがキャンプに入った」と伝えた。シャロンは「おめでとう。友人たちの作戦は正しい」と言った。その日、右派民兵はイスラエル軍の封鎖するキャンプに次々と入り、その多くはイスラエル軍監視所の下からキャンプに入った。キャンプを脱出しようとする住民たちは、イスラエル軍に追い返された。そのとき人々は虐殺が起こっていると告げ、イスラエル兵は、これを上部に伝えている。夜にな

シャティーラ・キャンプの虐殺現場
(ベイルート, 1982年9月)

り、イスラエル軍の打ち上げる照明弾のもと、虐殺は進行した。
午後一一時、ファランジストの司令官は、イスラエル軍司令官に、「今までに三〇〇人の民間人およびテロリストが殺された」と報告した。これは直ちにテルアビブのエイタン参謀総長に伝えられたが、虐殺は進行した。この日イスラエル内閣が招集されたが、キャンプに入ったファランジストのことについては三分間触れられただけだった。

九月一七日　一七日になった。この日イスラエルの放送は、イスラエルが「キャンプを清める」仕事をファランジストに任せたと伝えた。イスラエル兵たちは、監視所から虐殺を目撃するが、それを止めるどころか、ファランジストに食糧と水を供給し続けた。

朝六時にイスラエルの戦車隊司令官は、ファランジストが五人の女と子どもを殺しているのを目撃する。アッカ病院ではパレスチナ人の医師が連れ出され、殺された。白旗をもって出た三人に手榴弾が投げられ、死亡したのである。負傷者たちはベッドの上で殺された。一九歳の看護婦が、大勢の民兵に犯され、切り刻まれた。午前一一時五分に、イスラエルのツィポーリ通信相はシャミール外相に「ファランジストが虐殺を続けている」と伝えた。

午後三時半、四〇〇人の住民が白旗をもって、イスラエル兵のところに来て、逃がして欲しいと頼んだ。しかしイスラエル兵は彼らを追い返す。一方、ファランジスト民兵への食糧と水の供給が続けられた。イスラエル兵は「われわれは民兵を少し休ませた。その後、彼らはまたキャンプの中に戻って行った」と証言した。ファランジストの司令官は「キャンプを清め終わるには、もう少し時間が必要だ」と言い、これをイスラエル軍司令官は了承し、土曜の朝までキャンプに留まることを許可した。すでにイスラエルの従軍記者たちは虐殺を知って、軍上層部に届けていた。彼らがファランジスト民兵にインタビューすると、「俺たちは奴らを殺して、その母親や妹たちを犯しに行くんだ」という答えが戻ってきた。

夜九時、エイタン参謀総長はシャロン国防相に電話し「彼らはやり過ぎた」と言ったが、中止の命令はなかった。

死者

九月一八日の朝、私がキャンプの東北の角の入口で、イスラエル兵に追い返された八時半頃、中では二〇〇人の民兵が、虐殺を継続していた。ブルドーザーがフル回転で、死体を瓦礫の下に埋めていた。ガザ病院のスタッフがキャンプから連れ出されて尋問を受けていた九時すぎ、私は南東からキャンプに入った。そこに砲弾が撃ち込まれ、その後、人々が連行された道を私が反対側の南の入口から入っていったのは九時半過ぎである。すでに中央通りは「浄化」済みで、私のテープに入っていた銃声は、一〇時頃までキャンプの奥で虐殺が続いていたことを証明している。そしてその頃、最後の民兵たちがキャンプを離れたのである。

午後五時、イスラエル首相ベギンが、BBC放送を聞いて初めて、キャンプ内で虐殺があったことを知った、と述べた。

またエイタン参謀総長は、九月二五日、厚顔にも次のような発言をしている。

「テロリスト掃討の目的で、パレスチナ難民キャンプに入ったキリスト教右派民兵組織ファランジストが、残酷にも無差別に、老人、子ども、男、女を殺した。無実の者を殺害する罪は、もっとも重い」

一八〇〇人以上が殺されたといわれているが、正確な数字はわからない。シャティーラ・キャンプの入口の共同墓地だけで、三〇〇体が埋められた。キャンプの中からイスラエル兵の認識票が発見されたが、軍当局はこの兵士の喚問を禁止した。そして西独の『シュピーゲル』誌のインタビュー(一九八三年二月一四日)で、虐殺に加わった右派民兵は、イスラエル兵が何人か、彼の小隊に参加していた、と述べたのである。

二〇〇二年になって、虐殺事件を指揮したレバノンのホベイカが、裁判で証言するというニュースが流れたが、その証言直前に、彼は車に仕掛けられた爆弾で暗殺された。虐殺はシャロンの命令によるものだったと明らかにされることを恐れたため、シャロン首相が口を封じたのだという噂が流れた。

6　PLOの険しい途
――飢餓と包囲のなかで――

レバノン戦争が終わってしばらくすると、自爆テロが起こった。代表的なのが、一九八三年一〇月二三日のベイルートにおけるフランス軍兵舎爆破(七二人死亡)とアメリカ海兵隊兵舎爆破(二三七人死亡)であり、それにつづいて一一月四日、イスラエルの兵舎も爆破された(六〇人以上死亡)。イスラエル軍に突っ込んだのはレバノン共産党の若い女性だった。

ベイルートとの距離

しかしパレスチナ・キャンプの状況は、好転しなかった。ベイルートから逃げてきた看護婦たちは、キャンプで連日のように人々が連れ去られていると語った。拷問のあと戻されればいいほうだった。耳や鼻がそがれた死体が、キャンプのそばに投げ捨てられているのを目撃するのも珍しいことではないという。

ベイルートから撤退したPLOのゲリラたちは、キャンプに残した家族や友人たちが、どんな目にあい続けているのか聞くにつけ、言葉に表わせないほどの悔しさを感じていた。それら

ベイルートのアメリカ海兵隊

ゲリラほどではないにしろ、私もまたベイルートとの距離を絶望的に遠く感じていた。あのキャンプの人々をあとに残したまま日本に戻ってきてしまっていることを、自分の心の中でどう説明していいのか分からなかったのである。

一度私は、ベイルートの町が見下ろせる山のところまで行ったことがある。一九八三年一一月、レバノン山脈を越えて、ドルーズ派イスラム教徒が支配するアレイ市まで行ったのだ。砲爆撃の続く日に、私は崖のところからベイルートを垣間見た。それは霧の中に姿を現わしたり消えたりしながら、白く輝いていた。ときおり地中海が見え、そこにはアメリカ第六艦隊の巨大な空母が浮かんでいた。しかしこのときは、山を下りてベイルートに至る道はすべて遮断されていたのである。

一年半後の虐殺現場

その後の数か月のうちに、レバノン情勢は大きく変化した。それまで満を持していた勢力が大攻勢をかけ、ファランジストを駆逐して、西ベイルートを支配した。

一九八四年二月のことである。

ドルーズ派を中心とする進歩社会党(PSP)が、山を攻め下り、ベイルートへの道を拓いたのはそれから十数日後である。ダマスカスとベイルートはこれによって連なり、駐留していたアメリカ海兵隊は包囲された。私はベイルート行きを決めた。

二月下旬、ベイルートが嵐の日、私はシャティーラ・キャンプ入口のユーカリの樹の所にたどりついた。横なぐりの雨が激しく降っていた。

暗い雲を背景に、キャンプの粗末な家々が、一面の泥の海に沈んでいるように見えた。左手に松林、右手が低いブロックの塀で囲まれた、五〇メートル平方ぐらいの一角がある。まるで工事現場のように土が掘り返されたようになっているその広場の中央に、小さな土盛りが見える。そこに一本の棒がさしこんであり、黒い布が結びつけてある。人影はない。この土くれを囲っただけの広場が、あの虐殺の犠牲者三〇〇人を埋めた集団墓地だった。

アッカ病院では、パレスチナ人の医師たちが働き続けていた。しかし、私の訪問の数日前に子どもが二人狙撃された。病室のベランダに出て陽光を浴びていた女の子が頭を吹っ飛ばされて死亡し、男の子が眼と鼻を撃ち抜かれたという。女の子は耳が聞こえず、口がきけなかったため治療を受けていて、殺されたのである。

しかし一九八二年のPLOのベイルート撤退は、もう一つ深刻な問題をパレスチナ人の中に持ち込んだ。PLOの内部対立である。八三年五月、PLO最大のゲリラ組織ファタハの内部抗争が伝えられた。これはレバノン戦争と虐殺事件以来、パレスチナ人の運命に深い関心を寄せてきた世界中の人々にも、暗い影を投げかけた。

PLOの内部対立

しかしこれについて考える上で、レバノン戦争敗北の責任問題と、ベイルート撤退以降のPLOの路線問題を切り離すことはできない。PLOはなるほど、ベイルートでよくもちこたえた。当時PLOの人々は「二、三日でPLOを叩き出す、と言っていたイスラエルを相手に、私たちは八八日間もがんばった。そしてPLOを殲滅すると言っていたイスラエルは、私たちが整然と名誉ある撤退を行なうのを、ただ黙って見ていなければならなかった」と述べていたが、PLO内では激しい論争が続いていたのである。それは、レバノン戦争の敗北はなぜ起こったか、その責任は誰にあるのか、二万人の死者、三万人の負傷者に対する責任者は誰か、ということであった。人々を殺害した責任者は、イスラエル政府であることはまちがいない。しかし人々を守る責任を持っているのは、他ならぬPLOの指導部なのである。

武装対決へ

このとき問題となった人物は、PLOのレバノン南部方面司令官だった。アラファト議長が「徹底抗戦せよ」と命令を出したとき、「一兵の損失もなくレバノン南部からベイルートに撤退せよ」と命令した人物である。レバノン戦争の大敗北は、緒戦のこの命令の混乱によるところが大だと人々は考えた。「戦う兵士と武器はあったのに、戦うための司令官がいなかった」と囁《ささや》く声を、私も耳にしていた。

ところが一九八三年五月、アラファト議長はこの人物をベカー高原の司令官という重要ポストに任命する。アブ・ムーサに率いられるファタハの左派がこの人事に反発し、ファタハ指導部の民主化、財政のガラス張りなどを求め、武装対決に踏み切ったのである。結局ファタハ主流派は、レバノン北部トリポリの難民キャンプでの激戦に敗れ、チュニジアに撤退した。

こうしたPLO内の混乱は、イスラエルにとって歓迎すべきものであったが、レバノンにおける反イスラエル軍レジスタンスは続き、結局イスラエル軍は八五年六月にレバノン南部に撤退した。イスラエルとの国境地帯には、イスラエルのかいらい軍である南レバノン軍(SLA)が展開し、そこをイスラエルは「安全保障地帯」と呼んだ。ここからイスラエル軍が完全に撤退し、南レバノン軍が解体されるのは二〇〇〇年になってからである。

PNCでの発言

一九八五年になって、ヨルダンのアンマンで第一七回PNCが開催された。このときは、反アラファト議長派切り捨ての集会だったものの、会場では「彼らだけに問題があったわけではない。われわれの側にも責任があったのではないか」と発言した人もいた。しかし「トリポリのキャンプでパレスチナ人に砲撃を浴びせた者たち」とか「殺されたパレスチナ・キャンプの子どもたちに、一片のあわれみの心も持ち合わせないような者たち」という言い方で、反アラファト議長派とシリアを批判する人々が圧倒的に多かった。こうした声に、内部に反省を求める者も沈黙していったのである。

レバノンの情勢は過酷な事態を迎えていた。

キャンプ戦争とアマル

一九八六年一二月から八七年一月にかけて、私はレバノンを訪れた。レバノン南部のラシディーエ・キャンプでは、二万人の難民がシーア派イスラム教徒のアマル民兵によって、二か月も閉じ込められていた。

一月三日になって、キャンプの負傷者、婦女子約三〇人だけの脱出が許された。私がその人々から聞いたキャンプの状況は、ミルクも水もなく、一枚のパンで一週間食いつなぐというもので、さながら生き地獄だった。そしてその数日前には、キャンプ近くの果樹園からオレンジ二個を盗んだ飢えた少年二人が、パレスチナ人だという理由でアマル民兵にその場で射殺されたのである。私の知り合いのユニセフの女性係官も、パレスチナの子どもを助けたからという理由で、白昼七〇発の銃弾を浴び、殺された。彼女は射殺される直前に、顔をハンドバッグで覆い、銃弾がそれを貫いた。遺族から見せられたユニセフのクリスマスカードには、銃痕がいくつも開いていた。これは見せしめ殺害だった。

レバノン全土のパレスチナ・キャンプへの銃撃、砲撃による死者は、八六年秋以来八七年春までに二〇〇〇人を超えたと報じられている。しかし正確な数字は誰にも分からず、死者たちは瓦礫の下に埋まったままだ。

シャティーラとブルジバラジネ

ベイルート郊外のパレスチナ・キャンプのうち、サブラはアマルの攻撃で壊滅した。そしてシャティーラでは多くの難民は脱出したが、四〇〇〇人は地下の避難所に追いやられ、八六年一二月一日までにキャンプの六〇%が瓦礫となった。そして一二日にはアマルのキャンプ絶滅作戦が開始された。

シャティーラで働くカナダ人医師ジャヌーは、シャティーラの地下から無線で、「今では住める家は一五軒しか残っていない。病院も五〇発の直撃弾を受け、無傷なのは小さな手術室だけだ。アマルの使用兵器もエスカレートして、一五五ミリ榴弾砲、数十台の戦車が投入されている。死者が激増しているが、埋める場所はない。しかし人々の士気は高い。人々は「シャティーラは崩壊しようとも、われわれは降伏しない」と言っている」と伝えてきた。彼によると大晦日には、一分間に二五発もの砲弾、ロケット弾が降り注いだという。

シャティーラは、人口の大半が脱出したため、食糧、薬品もなんとか持ちこたえたが、悲劇が大きかったのはブルジバラジネ・キャンプだ。ここでは二万五〇〇〇人以上が一九八六年九月三〇日の戦闘開始から包囲の解かれた八七年三月末まで、閉じ込められていたからだ。

一一月二九日には化学爆弾が投下され、人々を呼吸困難に追い込んだ。一二月六日には犠牲者の葬列にまで砲弾が落ち、八六年末までに一〇六五軒の家屋が破壊されたとキャンプの人民委員会は報告している。

この「キャンプ戦争」の原因をもう少し見てみよう。

PLO議長派の帰還

レバノンで急速に勢力を伸ばしたアマルに対し、他の各派は警戒を強め、アマルを牽制するために、八五年一二月に撤退していたPLO議長派のレバノン復帰をバックアップした。ジュマイエル大統領派(アミン・ジュマイエル。一九八二年に殺されたバシールの兄)さえ、陰でPLO議長派を助けるようになるのは、国軍だけでなく政府機関も手中に納めようとするアマルと、そのバックにいるシリアへの強い危惧の表われだった。こうしてPLO議長派の主力軍がチュニジアからレバノンへ帰ってきた。これはアマルを強く刺激した。そして議長派が難民キャンプを武装させたとき、アマルのキャンプ攻撃が開始されたのである。

八六年一一月下旬、レバノン南部にあるアマルの基地マクドゥーシェの丘をPLOが占領した。アマルは「マクドゥーシェを返せば、キャンプの包囲を解いてもよい」と主張したが、アマルの約束を信用しない議長派が丘の占拠を続けたためにアマルとの交渉は決裂し、アマルにベイルートのキャンプ殲滅を宣言させることになる。「アラファトはベイルートのキャンプの犠牲の上に復活しようとしている」という批判も私は聞いた。

「人肉食許可願い」

それからしばらくして、ベイルートのパレスチナ難民が「人肉食許可願い」をイスラム教指導者に出したという八七年二月六日発の外電は、全世界に衝撃を与えた。そして三日後のベイルート電は、ついにキャンプで子どもが二人餓死したと伝えた。悲惨なニュースはたたみかけて伝えられ、一二日には五人の子にガソリンを飲ませ無理心中を図った母親(未遂)のことが報じられた。アマルによる包囲下に置かれて四か月近くたったブルジバラジネ・キャンプの難民二万五〇〇〇人は、このままいくと全滅するのではないかと危ぶまれた。

アマルは二月一四日にキャンプの包囲を解き、食糧搬入を許可したと報じられた。ところがほんの数日分の食糧が入った段階ですぐにまた封鎖され、そののちにキャンプはシリア軍の支配下に置かれることになった。しかしこれが状況の改善につながったとは思えない。

レバノン南部のアイネヘルウェ・キャンプはイスラエル軍の爆撃にさらされたが、このキャンプだけが、PLOの武装勢力によって守られていた。私は八六年の一二月にここを訪れたが、七万人ものキャンプ住民の見守るなか、PLOの少年少女の行進を見た。そのとき、一人の母親が「ここでパレスチナ人がまだ生きていることを、日本人に伝えるんだよ!」と私に叫んだのを思い出す。一九八二年にイスラエル軍の手でほぼ壊滅したこのキャンプは、完全に復活し、地の底から涌き上がるように人間があふれていたのだ。

このあとベイルートを発つとき、旅客機の中から瓦礫のキャンプを見ながら、私は人々を置き去りにして逃げているのではないか、という思いにさいなまれた。一〇年近くの間くり返し訪れて知りあったキャンプの子どもたちが、私の名を呼んで駆け出してくる夢も見た。私にとってこれほど打ちのめされたレバノン行きは初めてだったのである。

第2章　和平への模索と挫折

ベツレヘムに侵攻したイスラエル軍戦車に投石するパレスチナの青年(2001年10月)

1 インティファーダ(民衆蜂起)

――抵抗と犠牲――

石の革命

大きな変化は、一九八七年一二月八日に始まった。「インティファーダ(民衆蜂起)」と呼ばれるパレスチナ人の抵抗運動である。

この日、イスラエル領内で働いてガザに帰ってきたパレスチナ人労働者の二台の車に、イスラエル軍の大型トレーラーが突っ込んで、パレスチナ人四人が死亡、七人が重傷を負った。犠牲者の葬式に集まった人々は、激しいデモを行ない、占領軍とぶつかり、さらに死傷者が出た。一〇日には西岸地区のナブルスでパレスチナ人とイスラエル軍が衝突し、一人のパレスチナ人少女が射殺された。それを機に、闘争は一挙に全占領地に拡大した。子どもたちや女たちも街頭に出て、石でイスラエル軍に対抗しはじめた。戦術を石に限定しているところが、この運動を広げた。これはやがて「石の革命」と呼ばれるようになる。

新しい闘いの形

それまでも占領軍に対するデモや投石は数多くあった。しかし、それらには終焉があった。このインティファーダは、拡大するばかりで、終わりがなかったのである。

イスラエル兵は催涙ガスだけでなく、実弾も発射した。多くはゴム弾だったが、そのゴムの中心部は鋼鉄の塊だったりした。ガザや西岸地区の病院で私が見た負傷者は、足の両側に穴が開いていた。実弾が突き抜けたのだ。

催涙ガスでも犠牲者が続発した。狭い部屋に打ち込まれると、ほとんど窒息状態になり、流産も多く出る。私も催涙ガスを思いきり吸ってしまい、苦しさにのたうち回ったことが何度もある。その後は二、三日、咳をすると脊椎に激痛が走った。

犠牲者がいくら出ても完全武装のイスラエル兵に石だけで立ち向かうパレスチナ人の姿が、世界に報道された。そして占領地の住民を弾圧するイスラエル軍と、その占領に反対して抵抗運動を繰り広げる勇敢なパレスチナ人、という印象が世界中の人の心に強く刻まれた。インティファーダはメディアを利用した闘いだったのである。

自立する闘争

インティファーダは誰が組織しているのか、実態がなかなか把握できないようになっていた。多くの場所でそれは自然発生的に見えながら、統一された指揮系統をもっていた。それは現地住民の若い指導者や、パレスチナ各地の各党派組織で構成される人民委員会と緊密に結び付いた「民族蜂起統一指導部」である。この司令部が発行するビラが、作戦を伝え、指揮した。これはインティファーダが始まって一か月後に現れた。八二年のレバノン戦争でPLO（パレスチナ解放機構）が敗れて、その本部がチュニジアのチュニスに行ってしまった後、占領地に住む人々は、外部からアラブ諸国軍やPLOのゲリラが来て自分たちを解放してくれるのを待つということを止めた。そこで始まったのがインティファーダである。これにより占領下パレスチナ人社会は、歴史の主役になった。

しかし、彼らはいつも自分たちの代表がPLOであるということを宣言し続けた。

凄まじい犠牲者

犠牲者をいくら出しても闘いは終わらなかった。一九九〇年一二月にヨルダンのアンマンにあるPLO社会福祉機関のサミア・ダルウィーシュ所長を訪ねたとき、彼はコンピュータに毎日打ち込まれる犠牲者の数を呼び出して、数字を見せてくれた。それによると、投獄されたパレスチナ人総数二万五〇〇〇人、銃撃による重傷四万九二八五人、打撲傷二万四五五六人、手足の骨折一万六四六三人、流産三五一六人である。

さらに一九八七年一二月八日のインティファーダ開始から九三年六月三〇日までの被害状況は、パレスチナ人権情報センターの資料によると、次のとおりである。死者一二三三人、そのうち一六歳以下の子どもの死者三二四人、負傷者一二万九四四六人、樹木の伐採一六万一〇五六本、家屋の破壊及び封鎖二四三六戸、土地没収四一四平方キロ（ちなみにこれはガザ地区の総面積より広い）。

「インティファーダ」は「和平」への展開に大きな役割を果たした（ヨルダン川西岸，ヘブロン，1994年3月）

当時のラビン国防相のインティファーダ対策は、熾烈を極めた。「石を投げる者の手足を折れ」と命令したことは、広く知られている。さらに九二年六月にラビンが政権をとってからの半年間に殺されたパレスチナ人の子どもの名前がイスラエルの新聞に大きく取り上げられたことがあったが、そこには三八人の写真が掲載されていた。

指導部の責任

一九九〇年一〇月八日、ユダヤ人過激派のテンプルマウント団によるエルサレムのアルアクサ・モスク襲撃事件が起こった。この時、イスラエル警察の手でパレスチナ人二二人が死亡した。その直後に国連安保理は全会一致でイスラエル非難を決議した。

占領地の犠牲は、とどまる所を知らず膨れ上がった。死、負傷、ストによる収入停止、家屋破壊、イスラエルの占領地封鎖にともなう雇用停止などである。

人々は、そうした犠牲の場所と、闘いの命令を出す場所が同じであれば、犠牲も耐えられると考えただろう。しかしこれからどれだけの犠牲に耐えなければいけないのかと人々が問うとき、その質問に答えるのは自分たちではなく、遠くのPLO指導部だったのである。そのPLOは、外交交渉の進展によって戦略を変える。そうした政治的な闘いと、占領地でイスラエル軍に直接対峙する闘いは、ひとつのものになってはじめて大きな有効性を発揮するのだが、その二つの闘いはイスラエル政府の手で激しく分断された。その結果、現地とチュニスのきしみがひんぱんに起こった。

過激化

一九九〇年一二月、湾岸危機のまっただ中、私は一三年ぶりに占領地を訪れた。そのとき私は、難民キャンプの壁という壁に、パレスチナ国旗と解放のスローガンが書かれているのに驚いた。これがかつて見た、あの抵抗も何もかもあきらめたかのように見えた同じ占領地なのかと、信じられなかった。

この九〇年一二月、PLOのエルサレム代表ファイサル・フセイニー(二〇〇一年に死去)は、私のインタビューに次のように答えた。

「昨日、一六歳の子ども二人が一三年の刑を宣告されました。理由は石を投げたということです。一方ユダヤ人のほうは、パレスチナ人を殺しても、五か月の刑にすぎません。七人のパレスチナ人を殺したユダヤ人は、いま裁判中ですが、国は八〇〇〇シェケル(一シェケル=約七七円、一九九〇年当時)を与えて、精神鑑定をさせようとしている。イスラエル人三人をナイフで殺したパレスチナ人のほうは、親類縁者の家がすべて破壊されて、六家族が路頭に迷いました。でも、パレスチナ人を殺したイスラエル人の家が破壊されたなんて聞いたことがありません。それがパレスチナ人の場合だと、裁判もしないで破壊されるのです。こういう扱いを受けていれば、どうしたってますます過激な方向に行くことになります」

イスラエルによる暴力のエスカレートで、パレスチナ人による抵抗も激化した。インティファーダは誰にも押さえつけられない規模に膨れ上がり、より攻撃的な性格を増していった。占領地でパレスチナ人は銃を持って闘い始めた。これによって一層多くの血が流されるだろうが、石だけで闘っている間に九〇〇人以上も殺されたのだから、銃をとって闘ってなぜ駄目なのだ、という声が大きくなったのだ。

イスラエルの承認へ

この間に、アラファトを中心とするファタハ主流派は、イスラエルの隣にパレスチナ国家をつくるという考えに傾いた。彼らは現実的な感覚で、イスラエルの存在を認めるところからしか、パレスチナ国家の実現はありえないことに気づいていた。最終的にそれでいいと考えていたかどうかには異論がある。しかし、そこにはアメリカの意を受けるサウジアラビアや湾岸諸国が、巨額の援助金をちらつかせながらかけたゆさぶりもあった。「解放すべきパレスチナ」とはどこなのかをめぐって、六七年以降PLO内部では論議が続いていたが、「解放すべきパレスチナ全土」から「イスラエル領土」を引いたものでよしとする修正主義派が誕生した。それに対して、PFLP(パレスチナ解放人民戦線)を中心とする拒否戦線は、これを「ミニ・パレスチナ」構想と批判した。彼らは修正と妥協の道を拒否したのである。

折衷案がDFLP(パレスチナ解放民主戦線)から提出された。少しでも解放されたパレスチナの土地に、パレスチナの主権を打ち立てるというものである。とりあえずそこから出発しようというわけだ。この段階的解放論により、第一二回PNC(パレスチナ民族評議会)で新しい路線が採択された。

しかし、矛盾は回避されただけだった。段階的解放論では、ミニ・パレスチナは、全パレスチナ解放への一歩だということになる。結局PLOはイスラエルの生存権を認めるのか認めないのかという問いは、欧米から絶えず起こった。イスラエルはPNCのこの新しい路線の中に、時が来たらイスラエルを滅ぼそうとする隠された爪を見ていた。

アブネリの接触

イスラエルの平和運動家で元国会議員のウリ・アブネリは、一九四八年のイスラエル建国以来、パレスチナが独立しない限り平和は訪れないと思っていた。そして六七年の第三次中東戦争の直後から、彼は占領地の返還とパレスチナの国家の独立を訴えた。「私は七三年の第四次中東戦争直後から、アラファトはパレスチナ分割案を基盤にイスラエルと和平を結ぶつもりがあるという感触を得ていました。

私は八二年のレバノン戦争のときに、ベイルートでアラファトと会いました。

私たちは、最前線からわずか数メートルしか離れていない場所に座って、平和やパレスチナの建国のことを話しました。私は七三年の終わりにはすでにアラファトがイスラエルを承認し、イスラエルの隣にパレスチナを建国して、和平を実現しようとしていたことを証言できます」

独立宣言

一九八八年六月に臨時アラブ首脳会議が開催され、インティファーダへの経済支援と、PLOが唯一正当なパレスチナ人の代表であること、そしてパレスチナ独立国家樹立という目的に対する信任を確認した。すべては、前年に開始されたインティファーダの政治的成果といえた。

翌七月、ヨルダンは西岸地区の主権を放棄し、PLOとの関係を断絶した。それによって占領地に政治的空白が生まれた。インティファーダによって、占領地におけるヨルダンの影響力が低下したことも原因だったが、占領地はヨルダンの経済的支援の下にあったため、突き放したら、PLOはあわててヨルダンの支援を仰ぐことになるに違いないという、フセイン国王の読みもあったのだろう。しかし、これによって西岸地区からヨルダンの影響力は消えた。

インティファーダ開始からほぼ一年後の、八八年一一月一五日、アルジェで開催された第一九回PNCで、パレスチナの地を領土とし、エルサレムを首都とするパレスチナ国家の独立が宣言された。

しかしこのときのPNCでは、さらに踏み込んで国連安保理決議二四二と三三八号の承認が決議された。

決議二四二の承認

PLOは絶えず「すべての国連決議の順守」という言葉を使ってきた。国連決議には一九四七年の分割決議のほか、難民帰還の権利、独立国樹立の権利などがうたわれている。しかしここで決議二四二を認めたことは、間接的にイスラエルの存在を承認したことになり、それは六七年の第三次中東戦争以前の国境をもつイスラエルを承認することを指す。

アラファトは一二月に、それをジュネーブの国連総会で発表した。さらにアメリカ政府がPLOと交渉するための「キッシンジャーの三条件」としてうたっていた問題、つまりPLOのイスラエル承認、国連安保理決議二四二と三三八の受入れ、テロの放棄という問題についても翌日の記者会見で確認した。これによってアメリカはPLOとの交渉にとりかかったのである。

しかしPLOにとってテロの放棄を宣言するということは、それまでの自分たちの抵抗運動がテロだと認めたことになる。今までの自分たちが間違っていたと認めたことになるのだ。領土もそれまで求めていた分の四分の一でいいということ、イスラエルの存在をそのシオニズム的性格とともに認めるということは、やはりそれまでの方針が誤っていたと認めることになる。

PLOはインティファーダの輝かしい闘いにもかかわらず、そして世界の一一九か国がPLOを承認しているという外交的な勝利にもかかわらず、大変な譲歩をしたわけである。インティファーダが多大な犠牲を払って勝ち取った輝かしい成果を、PLOは叩き売りしてしまう、という声が聞かれた。

PLOは、イスラエルに占領地から撤退させる力を持つのはアメリカしかない、と考えていた。しかし何の見返りもなしに、イスラエルの存在の承認とテロ放棄を宣言させられ、そこまでしてアメリカの意に沿うようにして和平を求めた揚げ句に、九〇年五月、パレスチナ人による海からのテルアビブ襲撃未遂事件をきっかけに、すべて、もとのもくあみになってしまった。アメリカが、PLOは依然としてテロ行為を続けているとして、対話を拒否したのである。湾岸危機勃発から三か月前のことだった。

湾岸戦争

湾岸危機は、イラクがクウェートに侵攻した一九九〇年八月二日に始まった。イラクは、歴史的にクウェートはイラク領だと主張した。イギリスがアラブ世界の線引きをした後、一九二一年に、イラクのペルシャ湾進出を食い止めるため、イラクのバスラ地方から南部を切り離し、近くの部族をリーダーに据え、そこをクウェートとした経緯があるからである。そこでイラクはこうした歴史的経緯をふまえて、クウェートの反政府勢力と呼応して「石油会社を豊かにするよりも、貧しいイラクの国民にその利益を」と言って軍を進めたのだ。

しかし理由がどうあろうと、武力による解決を求めたイラクは、孤立した。アメリカを中心とする国際世論は、クウェートからの撤退を求めた国連決議を順守するように、とイラクに圧力をかけた。それに対してイラクは、それならなぜイスラエルの占領地からの撤退を求めた国連決議の順守をイスラエルに要求しないのか、ときりかえした。相手によって基準を変えるのは、ダブルスタンダード(二つの基準の使い分け)ではないかと、アメリカを攻撃したのである。

さらにイラクは、パレスチナ問題の公正な解決がなされるなら、撤退を考えてもいいと言った。これは「パレスチナ問題とのリンケージ」と表現された。

これを受けてフランスのミッテラン大統領は九月に、イラクが撤退すれば、そのあとでパレスチナ問題の解決とイスラエル軍の占領地撤退を討議する、という段階的解決案を提案した。

しかし翌九一年一月一七日に、アメリカを中心とする多国籍軍による爆撃で湾岸戦争は始まった。戦争が終わったのは二月二八日のことである。

この戦争は、すべての報道が完全に管理された戦争だった。私はその後イラクとクウェートを取材したが、日本で知らされていたことと違う現実に多く出合って唖然とした。

作られた報道

まず、油田の火災についてである。当初、油で真っ黒になった海鵜《うみう》の映像が、さもイラクの仕業であるかのごとく報道された。しかし後に良心的なジャーナリストたちが、これはむしろアメリカ軍による油井《ゆせい》破壊のせいらしいと伝えた。

私がクウェートの情報省と現地の環境保護団体から聞いたところでは、初期の油井の火災は、ほとんどアメリカ軍を中心とする多国籍軍によるものという。その数約四〇基。イラク軍は油井の近くにミサイル基地を置いていた。油田の火災や環境破壊につながるから、ここなら攻撃されないだろうと考えたのである。しかし、その考えは甘かった。アメリカ軍はこの基地を叩かない限り、イラク本土への爆撃はできないことを知っていた。そのためには緒戦でまずこれらを叩き潰す必要があった。アメリカは環境破壊など問題にしなかったのである。残りの油井の火災についても、原因はまだ明らかになっていない。

さらに私は、クウェートで数千の車が焼けた現場を見た。案内してくれた情報省の人間が教えてくれたところでは、クウェートから撤退しようとして、イラク軍や民間の車両数千台がイラクを目指し、砂漠の中の一本道を進んだところ、先頭の大型車が爆撃され炎上し、そこで数

焼けただれた車の列(クウェート，1991年6月)

珠つなぎになった。そこを徹底的に爆撃され、すべて炎上したのである。

そこには多くの焼けただれたバスがあった。そしてその中から、縛られた大勢の捕虜の焼死体が発見されたという。彼らはクウェートの身分証を持っていた。この人々は、イラクに護送される途中、アメリカ軍の攻撃にあい、殺されたのである。

その後長期間、イラクは経済封鎖され続けたが、その理由の一つは、連れ去られたクウェート人捕虜の釈放がされていないから、というものだった。しかしイラクは、そういう人々はイラクにはいない、と言い続けていた。焼死した捕虜のことをアメリカが知らなかったはずはない。しかしそれを認めれば、自分たちが殺してしまったことも認めざるを得ない状況になるのだ。

ピンポイント爆撃の映像も茶の間のテレビ画面に多く映し出された。そればかり見せられると、アメリカは高性能爆弾によって、完全に軍事目標だけを攻撃したかのような錯覚に陥る。

しかし私が見たバグダード近くの防空壕では、二発の爆弾を浴びて中に避難していた数百人の民間人が一瞬のうちに殺害されている。また南部のバスラでは、子どもが住宅地域にばらまかれたボール爆弾を見せてくれた。アメリカ軍がベトナム戦争で使用した対人殺傷兵器である。

元米司法長官のラムゼー・クラークは、湾岸戦争で使用されたアメリカのすべての爆弾は、広島投下型原爆の七倍に相当する八万八五〇〇トンで、そのうち九三%が無差別爆撃を意味する自由落下型、七%がピンポイントともてはやされた誘導型高性能爆弾だったが、その高性能爆弾のうち目標に命中したのはほんの少しだったと述べている(『ラムゼー・クラークの湾岸戦争』中平信也訳、地湧社)。私たちはそのうち当たった例だけを伝えられていたわけである。

PLOの選択

この戦争でPLOは苦しい選択を余儀なくされた。PLOは、アラブの国同士の問題の武力解決を容認できなかった。しかもクウェートには多くの出稼ぎのパレスチナ人が働いていて、彼らの仕送りで、多くの難民たちが生活している。さらにサウジアラビアやクウェートはPLOの資金源として重要な存在だ。しかし、パレスチナ問題の解決を掲げたイラクを支持しないわけにはいかない。

PLO内では多くの議論があった。ヨルダンを中心とするパレスチナ難民たちは、熱狂的にイラクを支持した。これは世界中に報道され、PLOがイラクを支持していると伝えられた。

PLOは、イラクの敗北で多くのものを失った。湾岸諸国で働いていたパレスチナ人は追放され、彼らの財産も没収され、サウジやクウェートからのPLOへの資金援助も打ち切られた。それによりPLOは、深刻な経済危機に直面していくのである。

アメリカのリンケージ

湾岸戦争で中東での実権を手にしたアメリカは、中東の不安定要因の一つであるパレスチナ問題の解決に踏み出す必要に迫られた。アメリカにとっては、七八年のキャンプ・デービッド合意で失敗した問題にもう一度取り組むには、今が絶好のチャンスに見えた。

しかしソ連なき後、世界の管理人として君臨するアメリカは、中東で大きな問題に直面した。それは原理派と呼ばれるイスラム復興運動の台頭である。それまでイランのイスラム復興運動を封じ込めていたイラクを敗北させた結果だった。

2 共存への模索
――和平へ向かった背景――

マドリード会議

一九九一年三月、ブッシュ米大統領は年頭教書を発表し、そこでイスラエルの占領地からの引揚げと、イスラエル国家の承認という、国連決議二四二、三三八を基礎とした和平案を提唱した。そして一〇月にスペインのマドリードで和平会議が始まった。これは、湾岸戦争でアメリカと共同歩調をとったエジプト、シリア、サウジアラビアがアメリカに要請した結果、実現したという見方もある。

九一年一〇月三〇日、マドリードで中東和平会議は開始された。和平会議は、マドリードでの総会、その後の二国間交渉と多国間協議で組み立てられていた。問題はパレスチナ側の代表問題だった。八八年にPLOがイスラエルの生存権を認め、テロの放棄宣言を行なっているにもかかわらず、イスラエルはPLOがテロ組織であるとして、同じテーブルにつくことを拒否したからである。

またイスラエルは、エルサレム出身者がパレスチナ代表団の中に加わることにも、難色を示した。イスラエルは占領した東エルサレムを併合し、八〇年には統一エルサレムがイスラエルの恒久的首都であることを宣言しているからである。そこに住むパレスチナ人は「アラブ系イスラエル人」だ、というわけだ。さらに、難民となってパレスチナの地を離れて生活するパレスチナ人の代表団加盟についても拒否し、代表権問題は難航した。

結局、アメリカのベーカー国務長官は、パレスチナ・ヨルダン合同代表団という形式でパレスチナ人を参加させる、という案を提案し、これが受け入れられた。PLOの参加問題は棚上げされたが、難民となった離散パレスチナ人は多国間協議には参加できるとされた。そしてPLOはこの会議開催を評価し、積極的に関わっていくことを決めた。

ブッシュは九一年三月の演説で、「平和と交換に領土を(Land for Peace)」という言い方をした。これはレーガン以来のアメリカの基本的立場である。

二国間交渉に入ってしばらく後の九二年、ラビンの労働党がリクード党に代わって政権につき、交渉に参加してきた。ハト派の登場で、交渉への期待は高まった。

多国間協議では、世界銀行が参加したことも大きな特徴である。そこでは通信網、観光のほか、ガザの港湾設備、住宅建設、空港施設、電力、上下水道などのプロジェクトが検討された。

暗礁

しかし、アメリカはかたくななイスラエルとの間でバランスを取ろうとし、次第に袋小路に入っていった。

アメリカは、イスラエルが占領地のユダヤ人入植地に一万一〇〇〇棟の住宅を建設する決定をしたことに抗議して援助を中止していたが、マドリードに続く和平会議中に一〇〇億ドルの債務保証を供与することを決定した。これはパレスチナ人の感情を逆撫でした。さらに悪条件が重なった。九二年一二月の二国間交渉の最終ラウンドは、一二月一六日にパレスチナ人四一三人がイスラエル政府によってレバノンに追放されるという事件で、中断した。

会議では、暫定自治は五年間続き、その三年目に最終的地位についての交渉が行なわれることになっていた。しかし暫定自治が始まる気配は全くなかった。イスラエルは占領地の返還、東エルサレムの返還、入植地の撤収、難民の受入れなど、どれも実行するつもりはなかった。マドリード会議に始まる一連の交渉では、とうとう光は見えなかったのである。しかし、状況は確実に和平へ向かいつつあった。その背景には何が起きていたのか。

移民の流れ

一九九〇年からの三年間にイスラエル内部に大きな変化が起こっていた。旧ソ連からのユダヤ人移民が急増したのである。

移民が増えることは、イスラエルにとって国家の存立に関わる重要事だった。なぜなら、不断に再燃するユダヤ人差別と迫害に備えて、ユダヤ人の避難地としての国家を作ることが、イスラエルのシオニズムの目的だからだ。そのためにはユダヤ人が多数を占める国が必要だというのである。

八五年には、イスラエルへの移民は、一万一二九八人と、前年の四一％減に落ち込んでいた。その前年の八四年には、エチオピアから七八〇〇人のユダヤ人（「ファラシャ」と呼ばれる）が移住してきたが、しかしこれも一時的なもので、移民は頭打ちになっていた。パレスチナ人の方がユダヤ人よりも圧倒的に出生率が高い（ユダヤ人女性一人当たり出生数二・六人に対し、パレスチナ人女性の場合六・一人）ことを考えれば、このままいけば三〇年後にはイスラエル内のパレスチナ人とユダヤ人の人口は同数になってしまうと予測された。これに占領地のパレスチナ人人口を加えると、いよいよ危機的な状況になる。

八五年の占領地のパレスチナ人の人口は一三四万二五〇〇人で、イスラエル内のパレスチナ人口を加えると二〇九万一五〇〇人となり、もしイスラエルがこの地区を併合すれば、ユダヤ人口は全人口の六二・七％になってしまうのだ。人口比が逆転するのは時間の問題だと考えられた。このままではイスラエルの存立基盤を揺るがす深刻な事態が訪れる可能性があった。

この人口問題が、イスラエルの直面する最も深刻な問題だった。

人口問題の解決法

イスラエルがこの問題を解決するなり、問題を先送りするにはどうすればいいか。

まず、占領地を切り離して、ヨルダンなりエジプトに返してしまうやり方がある。

これは国内に大きな反対がある。次に、占領地からすべてのパレスチナ人を追放するやり方がある。しかし、これは国際世論の大変な非難を浴びるだろう。

そのときに、もっと違う解決法が浮上した。二〇〇〇万近いユダヤ人を抱える旧ソ連から、ユダヤ人を大量にイスラエルに移民させることである。

旧ソ連からの多くの移民はアメリカを目指した。国連の調査では、当初イスラエルに行く移民は数％で、残りはアメリカに向かったという。これらの旧ソ連のユダヤ人は、シオニズムの影響でソ連を出たのではなく、ソ連の崩壊と経済危機のなか、よりよい暮らしを求めて、アメリカやヨーロッパに行きたくて出国した人々だった。

だが、アメリカは旧ソ連からの移民受入れを年間五万人に制限した。もともと旧ソ連の人権弾圧を非難し、ユダヤ人に出国のチャンスを与えろという圧力をかけたのはアメリカだったが、旧ソ連が出国制限を緩和し、ユダヤ人がアメリカを目指して大量に移民しはじめると、恐れて国境を閉ざしてしまったのである。これは第二次世界大戦中に、ナチスの手からユダヤ人を救えというキャンペーンをしたアメリカが、実際にはユダヤ人難民に門戸を閉ざした事実を思い起こさせる。

移民の爆発的増加

イスラエルへの旧ソ連移民は、一九九〇－九一年に三三万二〇〇〇人と爆発的増加を見せた。この波は翌年から少し弱まり、九二年は六万五〇〇〇人となっている。九〇－九一年の各国からの移民合計は三七万六〇〇〇人であり、そのうち旧ソ連からの移民は八八％を占めた。九二年の全移民の合計は七万七〇〇〇人だから、その八四％が旧ソ連からの移民ということになる。

九〇年以降の移民急増の原因には、八五年に政権をとったゴルバチョフが、その後ペレストロイカで出国を自由化したことと、グラスノスチの結果、様々なグループ、特にロシア民族主義者が台頭し、その過激派が反ユダヤ主義を唱えたことがあげられる。

しかしもっと直接的な原因は、この頃になって、経済危機が深刻化し、民族内乱も激化し、西側諸国に将来の夢を見ようとする人が増加し、彼らが国外脱出の手段を手にしたからだと言える。

新移住者の六一%は学識者で、物理学者、数学者、科学者、医師、教師、音楽家たちだった。アメリカや日本では、二五―二八%が高学歴層であることを考えると、いかに大勢の知的集団が押し寄せたかが分かるだろう。たとえばイスラエルには一万五〇〇〇人の医師がいた。それがこの四年で新たに一万三〇〇〇人もの医師が移住してきたのである。医師の数が突然二倍になった。これらの人を社会がすぐに吸収できるわけはない。

医師、物理学者、数学者たちが、町のガソリンスタンドやホテルの清掃人として働いているのが見られるようになった。ソ連ではもっぱら専門職を身につけることに努力して来た人が、突然、イスラエルでは自分の専門を生かして仕事をする望みがないことに気づいたのだ。ショックは大きかった。

差別と対立

イスラエルは最初移民を歓迎したが、すぐに彼らが社会に厳しい競争をもたらす要因になることに気づいた。大学や病院での競争は一段と激しくなり、文化の相違による摩擦にも拍車がかかった。旧ソ連系ユダヤ人が元からのイスラエル人の職域に侵入し始めた。住宅難で、家屋の値段が高騰した。オリエント系ユダヤ人のような貧困層の中には、家賃が支払えなくて追い出され、テント生活する人も出始めた。対立と差別が深まった。

オリエント系ユダヤ人は、あとから来た旧ソ連系ユダヤ人が優遇され、住宅などの手当てを受けることに非常な不満を募らせていた。イスラエル社会内の亀裂は一段と危険な様相を呈したのである。

政治への影響

この移住者の流れは、イスラエルの政治の流れも変えた。移民たちは、最初は右派のリクード政権に投票しようと考えていたという。彼らはソ連での経験から、社会主義に不信を持っていた。そして、彼らの目には労働党は社会主義政党に見えた。しかしリクード政権は、この旧ソ連移民の問題を余り真剣に考えなかったし、得票基盤はむしろオリエント系ユダヤ人で、彼らは旧ソ連移民と対立していた。

結局、九二年の総選挙では旧ソ連移民の半数がラビンの労働党に投票し、リクードはわずか一〇%の得票しかなかった。ラビンは彼らのおかげで当選したといえる。彼らの投票がなければ、ラビン政権の誕生はなかったのだ。もちろんこのとき、旧ソ連移民流入に圧迫されたオリエント系ユダヤ人が、リクード党の移民政策に失望して、リクード党離れを起こしたことが、ラビン政権誕生に有利な原因となったことも忘れてはならない。

こうして旧ソ連からの移住民は、ラビン政権の誕生を助けただけでなく、和平促進の原動力にもなった。彼らはかつてアフガン戦争に狩り出されてイスラム教徒と戦い、戦争には辟易しているのに、今度イスラエルに来たらまたもやイスラム勢力と対峙しなければならなかった。彼らには、いったいそれがなんのためなのか、理解できない。シオニストでない彼らは、占領地が自分の生活のために必要だとは、とても考えられない。神がユダヤ人に与えた「約束の地」だから手放してはならない、という考えを聞いても、実感がなかった。彼らはユダヤ教を信仰していなかったのである。むしろ、占領地は戦争の火種を作る厄介な場所に見えた。ましてて、占領地での兵役で命を失うことなどとんでもないと考えた。そしてイスラエルで旧ソ連よりも悪い生活状況に甘んじなければならないのも、占領地を維持するせいだと考えたのだ。彼らの多くは、平和になれば投資も行なわれ、経済も活気を帯びていい仕事にもつけるだろうと考えた。だからアラブ諸国と妥協し、和平を結ぶほうが望ましいと思えた。

ただ、彼らは全体主義政権下で暮らしてきたため、アラブ諸国にその全体主義の影を見て、交渉に不信感を持っていたのは事実である。それでも、彼らは最終的には和平のために譲歩する覚悟ができていた。

境界線封鎖

一方でインティファーダがイスラエルのユダヤ人に与えた心理的影響も大きかった。インティファーダに対する報復措置として、イスラエルは占領地との境界線を封鎖し、パレスチナ人労働者のイスラエル流入を禁止した。これがまたイスラエル人に決定的な影響を与えた。この封鎖された境界を越えることができないのは占領地のパレスチナ人だけで、イスラエル人ではない。しかしイスラエル人たちは、いよいよ占領地が自分たちのものではないと考えていく。

人々はもう占領地には行こうとしなくなった。入植地への移住の動きも止まった。イスラエル人は、何のために占領地を必要とするのか理解できなくなっていった。そこはイスラエル人にとっては危険で、自分の国の一部だとは感じられない。人々は東エルサレムだけでなく、旧市街にも立ち入らなくなった。

イスラエルのユダヤ人たちは自問するようになる。行くこともできないような占領地を維持する必要がどこにあるのだろう。「行政管理地区」「ユダとサマリア」などと呼んでも、それは違和感で溢れる存在だった。それは「使うことができない部屋、使用できないバルコニー」のようなものだったのである。

境界線封鎖は、パレスチナ人労働者に打撃を与えたが、イスラエルではもうパレスチナ人労働者はいらない、旧ソ連のユダヤ人移民を使えばいい、という風潮が育っていった。イスラエル経済界への労働者供給源としての占領地の役割は、変化したのである。

イスラエルのユダヤ人のインティファーダに対する恐怖心はふくらんだ。特に、イスラエルの心臓部テルアビブでナイフ襲撃事件が起きたりすると、もうこのままでは自分の家族や子どもを守るすべはないと思ってしまうのだ。多くの人が、それもこれも占領地にしがみつくからだ、と考えた。

恐怖と堕落

占領地の中の治安は、イスラエルの手には負えない。イスラエルのバスがその地域に入る時には、武装兵の乗った二台のジープを護衛につけなければならない状態となった。

イスラエルの著名な作家で『ヨルダン川西岸』(千本健一郎訳、晶文社)の著者デイヴィッド・グロスマンは次のように語った。

「私は占領地には足を踏み入れなかった。エルサレムの旧市街にすら行かなかった。その地域がいだいている憎しみを感じていたからだ。だがもっと大きな理由は、対等でない関係にがまんならなかったからだ。あまりにも多くの人たちと同じように、西岸というあの腎臓の形をした土地が、自分の意に反して体内に移植された一つの臓器に思えてきた。もちろんこの移植された臓器は、私の意識の中で抗体をつくり続けた」

占領の結果どうなったか。彼は続ける。

「占領は私たちを堕落させる。私たちは主人と奴隷の関係をつくりあげてしまった」

占領の終焉

私がガザ地区でパレスチナ人の子どもの取材をしていたとき、そこにイスラエル軍に指名手配されているファタハの地下武装組織「鷹」のメンバーが、銃を持って入って来た。彼は自分の顔はすでに知られているので撮影していいと言い、本名を名乗ってインタビューに応じた。一九九四年四月初めのことだった。インタビューを終えて一時間ほど海岸に行って戻ると、彼の家の前にはイスラエル軍が集結し、捜索が行なわれていた。難民キャンプの中では子どもたちが見張りについていたため、彼は逃げおおせたが、このできごとは私に大きな感慨を与えた。「和平」などと言いながらも、私が現実に目にしているのは、植民地と占領の崩壊の姿なのだ、と思い知ったのである。銃を持つ男が、軍隊を恐れず、真っ昼間から歩き回っている。こんなことが起

グーシュ・カティーフ入植地(中央)とハンユニス難民キャンプ(上)

こり始めるというのは、占領の末期症状でしかない。アルジェリアや他の国々で起こったことと同じ、占領や植民地の最終段階の姿なのだ。

世界史の中で、多くの植民地が崩壊し、占領が終わるとき、その断末魔の占領政府の下ですさまじい犠牲が出た。イスラエルはいかに少ない犠牲で占領地から撤退できるか、さらにいかに有利に引き揚げるか、という青写真をつくり始めた。それはペレス(当時外相)を中心とする人々の手によった。彼のスタッフは、経済問題を中心に和平を考えなおしたのである。

ハマスの脅威

さらに別の原因もあった。旧ソ連は、原則的にパレスチナ人とアラブの強硬派諸国の側に立ってきたが、その旧ソ連が崩壊したとき、すべてのバランスが変わり、中東全域の管理はアメリカの手に移った。アメリカにとってイスラエルの占領地の問題は、湾岸戦争後、アメリカの望む中東の新秩序の構築に妨げとなった。

アメリカがイラクを打ち負かした後、新たな中東の不安定要因がもちあがった。その最大のものが「イスラム原理派」と呼ばれているイスラム復興運動であることは前述の通りである。

イランは別格にしても、サウジアラビア、エジプト、アルジェリア、ヨルダン、レバノンと、それぞれの中には強力な運動がある。ヨルダンでは一九九〇年にイスラム同胞団が第三の政党になり、五人の閣僚を擁するようになった。レバノンでは「ヒズボラ(ヒズボッラー＝神の党)」という強力な組織がイスラエルを脅かした。イスラム革命の嵐が中東に吹き荒れるだろうと、アメリカは警戒した。

そして占領下パレスチナでは、インティファーダに手を焼いたイスラエルが、PLOに対抗する勢力としてハマス（ハマース）の誕生を支援したのだが、このハマスはすぐにイスラエルに敵対する巨大な勢力に成長していった。そしてハマスは社会福祉事業で民衆の心をつかみ、全パレスチナの解放とイスラム革命を主張した。

サウジアラビアやクウェートは湾岸戦争のあとPLOへの援助を中止し、ハマス支援に切り換えた。力をつけたハマスはPNCの一五％の議席を要求するようになった。それをパレスチナで食い止められるのはPLOしかない、とアメリカやイスラエルは考えた。PLOが弱体化していたため、アメリカは和平を急がなければならなかった。強いPLOは困るが、弱すぎてもまずかった。イスラム復興運動を封じ込めるためのPLO活用は、この地域を管理したいアメリカと、イスラエルの利害が一致した点だったのである。

マドリード会議の交渉の過程からは、何ひとつ期待できるものはなかった。しかし、

経済界の熱い視線

会議は、経済界にもインパクトを与えた。多国間交渉で各国が多くのプロジェクトの試算をしたり、世界銀行が参加したりしていく過程で、この和平が利益を生み出すと考える経済人が多く出たからである。彼らにとって、それはすぐに覚めるには惜しい夢だった。彼らは、和平が、イスラエルとパレスチナの直面する難問の多くを解決しながら、大き

な経済圏構想の中で、さらに地元企業と多国籍企業に巨大な利潤をもたらす可能性を知ったのである。戦争は軍事産業をうるおすが、和平もまた大企業をうるおす。

一九九四年四月にイスラエル銀行頭取のジェイコブ・フランケルにインタビューしたとき、彼は次のように言った。

「八〇年代半ば、イスラエルは高インフレで、大きな赤字予算を抱え、外貨も危機状況にありました。その時、政府は構造的な経済復興安定政策をとり、国民もそれを全面的に支持しました。それまでわが国はGDP(国内総生産)の一五%という大きな赤字を抱えていましたが、これにより、短期間で赤字はなくなったのです。

経済の復興は三つのブロックで成されました。第一は経済の安定化、二番目は構造改革、三番目は和平交渉です。和平交渉を開始してから数年経ちますが、これによってだいぶ状況が良くなってきました。現在イスラエルは急速に経済が発展し、年六%の成長率が数年続いております。私たちは中東和平を通じて、世界経済の一員になりたいと思っています」

彼は、マドリードから始まる和平会議が経済復興の一因になったことを認めている。それなら本格的に和平が動き始めたら、経済にどんな大きな影響が及ぼされるか、経済界が熱い視線を向けたとしてもおかしくはない。これが後の和平を進める大きな要素になった。

3　暫定自治協定の衝撃
――怒りと喜びのあいだで――

ワシントンの式典

一九九三年九月一三日、ワシントンでラビン首相とアラファト議長が握手し「パレスチナ暫定自治協定」共同宣言に調印したニュースは、世界中に衝撃を与えた。

ワシントンの調印式でラビン首相は、次のように語った。

「血も涙も充分に流した。もう充分です。新しい章を、一緒に開こうではありませんか」

一方のアラファト議長は、次のように言った。

「ここまで到達するには、途方もない勇気が必要でした。平和を確立して共存関係を維持していくためには、さらに大きな勇気と決意が必要でしょう」

そしてクリントン米大統領は、閉会の辞として次のような言葉を選んでいる。

「アブラハムの子どもたち、イサクとイスマエルの子孫（ユダヤ人とアラブ人を指す）は今、手を取り合い、勇敢な旅をはじめました。今日、私たちは心を一つに呼び掛けます。シャローム、サラーム、ピース」。シャロームはヘブライ語、サラームはアラビア語でいずれも「平和」の

暫定自治宣言の調印後，クリントン米大統領の前で握手するラビン・イスラエル首相（左）とアラファト PLO 議長（右）（1993年9月，提供：ロイター＝共同）

意味である。

ノルウェー秘密交渉

ワシントンの式典を見る限り、すべてはクリントン大統領がお膳立てしたように見えた。しかし実際にはアメリカが全力を傾注したマドリード和平工作は、完全に破綻していた。ＰＬＯが外されていたからである。

そうした時に突破口の「オスロ合意」のきっかけを作ったのは、ノルウェーの小さなシンクタンク、ＦＡＦＯ（応用社会科学研究所）所長のテリエ・ラーセンだった。彼はマドリード和平工作が、衆人環視の下で行なわれたため失敗したと考えた。彼はそれをイスラエルのヨシ・ベイリン議員に伝え、ノルウェーが秘密交渉の仲介の労をとる用意があると告げる。

最初の非公式な話し合いは、一九九二年五月にエルサレムのホテルで、占領地の指導者ファイサル・フセイニーとベイリンとラーセンによって行なわれた。その後ベイリンは、労働党政権下で外務副大臣に就任。その上司はペレス外相だった。お膳立ては整い、労働党はPLOとのチャンネル確保のため、九三年一月一九日、PLOとの接触を禁じた法律を廃棄させた。

その翌二〇日に、ノルウェーの首都オスロ郊外に、当事者たちが集まった。外部には学者たちの執筆会議だと偽り、完全な秘密作戦がとられた。ここにパレスチナ側から「アブ・アラー」という通称で呼ばれるアハメド・クレイとハサン・アスフォールが出席した。

ガザ・ジェリコ先行案

オスロに何度も集まった出席者たちは、当初からガザを先行自治の対象にすることで、合意できると考えていた。このガザ先行案はペレスが八〇年に提案していた。この基本的な考えは、アブ・アラーにも受入れ可能に見えた。貧困と飢餓のガザ地区は、イスラエルが手放したがっている地域だった。この点ではPLOとイスラエルの利益は一致した。しかしPLO側は、自治の範囲がガザだけにとどまってしまうのではという危惧をもっていた。

そこでジェリコが加えられた。人口一万四〇〇〇人(周辺を入れても二万五〇〇〇人)の小さなこの町は、世界最古の都市国家が成立したことで有名だが、それ以上にヨルダンとの交通の要所にあるため重要視されていた。

オスロでの交渉が大詰めの段階にあった九三年七月、ワシントンではマドリード和平交渉が完全な暗礁に乗り上げていた。失敗は誰の目にも明らかだった。アメリカは失点を取り返すことを迫られた。

原則宣言の成立へ

八月中旬にペレス外相は核開発に使用する重水輸入の件でノルウェーを訪れるが、その直前にスウェーデンでPLO本部に電話をかけ、合意の細部を決定した。

こうしてオスロで八月二〇日午前二時、二三ページにわたる「パレスチナ人のための暫定自治政府協定に関する原則宣言」が署名されたのである。

ノルウェーチームは、すぐアメリカのクリストファー国務長官を訪ねた。アメリカを出し抜いた形のこの合意がアメリカの反対にあったら、すべては水の泡になってしまう。このオスロ合意は、明らかにイスラエルがアメリカの意志をうかがうことなく、独断専行したものだった。しかし、アメリカはこれを歓迎した。これといって得点のなかったクリントン政権は、これを自分の手柄として打ち出すことにしたのだ。

PLOの代表権問題

ここでPLOとイスラエルの相互承認問題が浮上した。調印するには当事者同士が承認し合っていなければならない。

九三年九月九日、ワシントンでの調印式の四日前、ノルウェーのホルスト外相は、準備された二通の手紙を持って、チュニスとエルサレムを往復した。アラファトからラビンあての手紙には、次のような言葉が書かれていた。

「PLOはイスラエルの生存権を認める。安保理決議二四二と三三八を受け入れる。テロと他の暴力を止める。パレスチナ国民憲章のなかで、イスラエルの生存権を否定した条項の改正を行なう」

この手紙にアラファト議長が署名し、それはすぐノルウェーチームの手でエルサレムに届けられた。そしてラビン首相は「イスラエル政府はPLOをパレスチナ人の代表として認める」と書かれた手紙に署名した。こうしてイスラエルはPLOを承認したのである。

暫定自治協定

九月一三日、ワシントンで調印された暫定自治協定は、次のような内容だった。

「イスラエル政府とパレスチナ人代表は、長年の対立と紛争を終え、相互の正当な政治的権利を承認し、平和で安全な共存、公正で永続的な包括和平と歴史的和解を実現すべき時がきたことに同意する。

第一条　五年を超えない暫定期間内に、評議会を確立。安保理決議二四二と三三八に基づく恒久的な解決へ向かう。

(略)

第五条　①五年の暫定期間は、ガザとジェリコからのイスラエル軍撤退をもって始まる。②(占領地の)最終的地位の交渉は、暫定期間の開始後二年以内に始まる。③最終的地位に関する交渉案件には、エルサレム、難民、入植地、安全保障、国境、隣国との関係など相互に利害のある問題が含まれる。

第六条　①……ガザ、ジェリコからのイスラエル軍撤退に伴い、イスラエル軍政当局からパレスチナ人に権限が移譲される。②移譲される権限は、教育・文化、保健、社会福祉、徴税、観光の分野に及ぶ。パレスチナ人側は警察の創設を始める。

第七条　……評議会は経済発展のため、パレスチナ電力機関、ガザ港湾局、パレスチナ開発銀行、パレスチナ水開発機関などを整備する。評議会の設置後、イスラエル軍政当局は解体される。

第八条　……治安維持のため、評議会は強力なパレスチナ警察を設立する。

第九条　評議会には立法権が与えられる。

（略）

第一二条　一九六七年（第三次中東戦争）に西岸とガザ地区から移動させられた人々（難民）の帰還について討議する。

（略）

補則一　（東）エルサレムに住むパレスチナ人は、選挙権を持つ。

補則二　①基本協定の合意発効後、ガザ、ジェリコからのイスラエル軍撤退に関して合意を達成し、調印する。②撤退は四か月以内に終了する。③上記の合意で、パレスチナ自治体には内政や警察への責任が委譲されるが、国防、入植地、外交などは除かれる。

（略）

補則五　イスラエル軍撤退後も、イスラエルは国防及び入植地とイスラエル国民の治安・公共秩序の維持に責任を負う」（一九九三年九月一四日付『朝日新聞』をもとに作成）

当初の予定では、一〇月一三日に自治協定が発効し、一二月一三日までにイスラエル軍撤退開始、九四年四月一三日までにガザ・ジェリコの当該地区からのイスラエル軍撤退完了、それにともないパレスチナ警察創設、五年間の暫定自治開始、九九年四月までに占領地の最終的地位確定、暫定自治終了とされた。

国民の反応

調印に先立つ九月四日にイスラエル人の平和団体「ピース・ナウ」は、テルアビブで五万人集会を開き、一三日も和平を歓迎する集会を開いた。しかし同じイスラエル国内でもリクードや入植者を中心に、「和平粉砕」を叫ぶデモが行なわれ、レバノンでは一三日、パレスチナ急進派とヒズボラの反対デモの規制で七人死亡。シリアでもヨルダンでも一三日にデモが荒れた。パレスチナ難民のうち、この協定で対策が講じられることになる六七年発生の難民はおおむね賛成したが、救済が無視された四八年発生の難民は反対の意思表示を行なった。

九月二三日、イスラエル国会(定数一二〇)は、賛成六一、反対五〇、棄権八、欠席一で暫定自治協定を承認した。

パレスチナ人側は、一〇月一二日にパレスチナ中央委員会を開催し、八三人出席のうち、賛成六三、反対八、棄権九、不参加三で暫定自治原則宣言を批准した。これにはPFLPとDFLPの代表はボイコットしている。

こうして一〇月一三日に、暫定自治協定は発効した。

他に選択はあったか

PLOはこのままでは断末魔を迎えるという寸前で、この協定に調印したのだ、と考えた人も少なくない。

テルアビブ大教授のシュロモー・ザンドは、次のように言う。

「PLOはこれまでで最悪の状態だった。そしてイスラエル政府は手遅れにならないうちにPLOと取引した方が賢明だろうと判断したのだ。一年遅れても合意は不可能だっただろう。五年後には、パレスチナ人の状況はさらに悪くなっているだろう。インティファーダが希望を与えたものの、余りの犠牲の大きさと貧困が、人々の力を奪い、希望を奪った。そんな彼らに、さらに五年待つべきだとは言えない。

良い協定と悪い協定が目の前にあって、それなのに悪い協定に調印してしまったというようなものではないのだ。選択の余地はなかったのだ。イスラエルの側にもPLOの側にも大した選択の余地のないところで、あの合意は交わされたのだ」

そして調印してしまった限り、暫定自治の挫折は、より悪い結果を生むことになる。

バンツースタンか

しかしザンドは、この協定がパレスチナ独立の道を閉ざしたと考える。「この協定でペレスとラビンは、バンツースタン(南アフリカ共和国の領土隔離政策、のちホームランドと改称)をつくろうとしている」

つまり、経済的にも軍事的にも完全にイスラエルに依存する社会が「自治」の名目で誕生することになる、というのだ。

イスラエルの『ハアレツ』紙編集者のエウド・エンギルは、こう言う。「インティファーダに手を焼いたから、自分たちは占領地の外に出て、彼らに独自の警察をもたせよう、というものです。イスラエルはインティファーダのせいで占領地を手放そうと考えたのです。パレスチナ人は独自の政府をもつことができるが、実際は軍もないし、政策もたてられないし、イスラエルに完全に頼ることになる。これがペレスとラビンの目的なのです」

ラビン首相は和平によって、占領地から完全撤退し、パレスチナ独立国を作ることを、本当に考えていなかったのだろうか。ラビンは九三年一一月に次のように発言している。

「暫定自治宣言の中で私たちが確認したことには、次のようなものがあります。まず第一に、エルサレム問題は取り扱わない。エルサレムは統一されたままとし、永久に統一状態が続くということです。第二に、占領地の入植地はすべてそのまま残す。一つとして解体しないこと。第三に、イスラエルは入植地のイスラエル人の安全について責任を負うこと、などです」

ラビンは、占領地の完全撤退はしない、エルサレムも返さない、と明言している。独立国家についても、約束した覚えはない、と言っている。

イスラエルはバンツースタンを欲し、パレスチナ人は独立国家を求める。ひとつの協定から求めるものが正反対であれば、どのように解決が可能だろうか。

パレスチナ人の不安と抵抗

「暫定自治協定」共同宣言の調印は、特にガザ地区とジェリコのパレスチナ人には圧倒的な歓迎を受けた。最初は驚いて、事態の非民主的な進行に戸惑った り、怒りを持った人間も、やがて喜びを漏らすようになった。それに対し、ハマスやPLOの反主流派、特にPFLPなどはこの合意に怒りの声を上げた。

しかし、反対派の行動で、せっかくの和平のチャンスを潰されてはならない、という声も強かった。ガザ地区の産業組合議長のムハンマド・イリアジーは、次のように言う。

「これは最後のチャンスです。受け入れなければ、私たちはガザ地区にも西岸地区にもいられなくなり、どこかへ行かねばならなくなります。パレスチナの指導者たちがパレスチナの旗を持ち、ガザに来る。それは夢でした。今はそれでも充分です。ステップ・バイ・ステップです。すべてのものを一瞬のうちに得ることはできません。

私たちはパレスチナのほとんどを失いました。エルサレムも失いました。では、イスラエルが私たちをヨルダン、エジプトなどに追いやるまで待つべきですか？　ノーです。ガザ地区を手に入れるのです。西岸地区を手に入れるのです。与えられるものをすべて得ることです」

イスラム復興運動のハマスやイスラム・ジハードなどは、こうした考えに納得していなかった。棚上げされた問題が余りに深刻なのに、署名をしてしまったことに唖然としたのである。たとえば独立問題、エルサレム問題、入植地の問題などだ。

反対する人々

イスラエルに住むパレスチナ人の中にも、少数派だが、協定に反対の人がいた。テルアビブに隣接したジャッファの薬局の主人ファハリ・ジャダーンは、次のように言った。

「平和は、正義と、お互いの尊重と、誠意の上に成り立つものです。しかしオスロ合意には、この三つのどれひとつとして感じられなかった。この中でパレスチナ人は、ほんの一切れのパンを与えられただけでした。屈辱的でした」

それでも当該地区からイスラエル兵が姿を消すことは、占領地の人にとっては朗報だった。

希望の展開

一九九四年四月上旬に私がガザを訪れた時、すでにガザ市中央部のイスラエル軍基地は撤去された後だった。原っぱには、銃弾を拾うパレスチナ人の少年たちが何人かいて、ヘブライ語の新聞が風に舞い、イスラエル軍の缶詰が捨ててあった。

五月になって、基地撤去作業は急ピッチで進められた。そしてパレスチナ警察の第一陣一五〇〇人余がガザ入りし、住民の歓呼で迎えられた。元のパレスチナ・ゲリラたちである。

六月初めに訪れたときには、イスラエルによってキャンプの周りを閉鎖されていたドラム缶の塀が壊されていた。道にはイスラエル兵は見えず、パレスチナ警察が緑のベレー帽で銃を持っている。ガザの入口もジェリコの入口も、このパレスチナ警察が検問に立ち、そこにはパレスチナ旗が翻っていた。

これが和平か

しかし一九九四年五月の段階でガザ地区からイスラエル軍の撤退完了というニュースが流れたが、これは誤りである。二〇〇二年四月の現在に至るまでガザ地区には多くの入植地が存続し、それを守るかたちでイスラエル軍が再配備されている。

エルサレム郊外のベイト・イクサ村では、和平を祝うはずの九三年一一月の集会が、イスラエル政府による土地没収への抗議集会に切り替えられた。ここはパレスチナ人の村だが、近くに巨大なラモトというユダヤ人の町ができて、村の土地がこれまでどんどん没収されてきた。そして暫定自治協定が調印された後の九三年一一月、さらに村の土地がイスラエル政府によって没収されるという話が伝えられたのである。谷ひとつ隔てた丘の中腹では、道路工事のダンプカーがピストン輸送をしていた。「これが和平か」と村人は、没収が決まったオリーブ畑を指差しながら叫んだ。

この一一月に、ガザ地区では一四軒のパレスチナ人の家屋が、ブルドーザーで破壊された。私が現場に行ったのは破壊から数時間後だったが、家のあったところは砂地になっていて、瓦礫は山になっていた。家財道具を持ち出す猶予は与えられなかったという。

破壊の理由は、イスラエルの許可なしに家を建てたからだった。しかし現実にはパレスチナ人の家の建築許可はなかなか下りない。業を煮やして建ててしまうと、すぐ取り壊される。しかしここはすでに暫定自治区に決まっているガザ地区であり、数か月後には暫定自治政府が管轄するのに、こうした強制執行をして何の益になるのだろう。

和平ムードの裏で、まるで挑発するかのような行為が続いていた。

入植者の和平抗議デモ

「妥協はするな！　アラブ人に死を！　アメリカの援助はいらない！　ラビンは裏切り者！」

一九九三年の秋、連日のようにエルサレムで和平反対のデモが起こった。ほとんどは占領地に住むユダヤ人入植者で、「キッパ」と呼ぶ小さな被りものを頭に着け、女性は長いスカートをはいている。若者が多い。時には銃を持つ大人が参加している。アラファトと握手したラビンが手を洗っているポスターもある。テロリストのアラファトと握手したため、手が血まみれになったというのだ。彼らはトーチをかざし、パレスチナの旗を燃やした。国境警備兵が出て、首相官邸のそばで逮捕者も大勢出たが、すぐ釈放された。

ワシントンの調印から二か月もしないうちに、西岸地区のラマラ近くのベテル入植地近くで殺人事件が起きた。卵を買いに付近の農家を訪れたユダヤ人入植者がナイフで刺され、誘拐され、車の中から焼死体で発見されたのである。

ユダヤ人蜂起

私が現場に行ったのは、殺されたハイム・ミズラヒの血がまだ乾いていない時だった。怒った入植者たちは占領地の道路を封鎖し、パレスチナ人の車を見ると投石し、「ユダヤ人インティファーダ」を呼びかけた。これに呼応して全占領地で道路の封鎖と投石が始まった。

何日か後にこの場所をもう一度訪れると、テントが張られ、多くの入植者が住みついていた。新しい入植地の建設を決めたのだという。入植者の女性は、次のようにラビンを非難する。

「ラビンは家族に気の毒だとも言いませんでした。彼は、まるで私たちがこの殺人に責任があるかのように言ったのです。私たちが挑発したから悪いんだ、と」

――でも、今あなたがたがこの場所にいることが、和平の妨害になっているのでは。

「それならシオニズム自体、和平の妨害になることになります。二〇〇〇年前に追放されたイスラエルの民は、自分の国を建国するために帰ってきたのです」

入植者が殺された壁には、「イスラエルの民は生きている。われわれの血は滅びない！」と書かれていた。

そして一九九四年二月二五日、西岸地区のヘブロンで大事件が起きた。ユダヤ教とイスラム教の聖地イブラヒム・モスク（マクペラの洞窟）で、礼拝中のイスラム教徒数百人に、隣接する入植地キリヤト・アルバの医師バルフ・ゴールドシュタインが銃を乱射したのである。死者はその後のイスラエル兵の射撃によるものを合わせて六〇人を超えた。犯人は極右シオニスト・ユダヤ教過激派の「カハ」という組織の指導的メンバーだったが、彼自身もまた現場で死体で見つかった。

ヘブロン虐殺事件

カハの指導者メイル・カハネは、ニューヨークからの移民で、在米当時FBIでユダヤ人青年たちの動向を調べるのが仕事だった。六八年に「ユダヤ人防衛連盟（JDL）」を設立し、反黒人キャンペーンを開始、ブラックパンサー本部を襲撃したり、「在米アラブ人差別反対同盟」会長を暗殺したりした。このJDLにはアメリカのユダヤ人支援者から年間五〇〇万ドルが寄付されていた。カハネは大イスラエルの復活を求め、占領地のパレスチナ人を武力で排除しようとした。彼はイスラエルに移住して国会議員になり、勢力を伸ばしたが、九〇年に暗殺された。

このカハネの教えを守ろうとする入植者の一人が、ゴールドシュタインだった。彼が引き起こしたヘブロン虐殺事件で、和平交渉は中断された。

支持する高校生

ヘブロン虐殺事件は、イスラエル社会に大きなショックを与えた。しかし同じく衝撃的だったのは、エルサレムのある高校の半数以上の生徒が、この虐殺を支持したのである。教育省は全国の教師を集めて会議を開き、そこで副大臣のゴールドマンは、虐殺の批判を行なった。すると、大勢の教師たちが彼に石を投げつけ、彼は逃げ出したという。

別の高校では、二〇人の生徒がゴールドシュタインのために黙禱した。そしてテレビで、虐殺を支持する、と発言した。イスラエルではこれも大きなスキャンダルになった。最初こんな恐ろしいことをユダヤ人がしでかしたというショックがあり、その次に子どもたちの半数以上が虐殺を支持したことで、人々は驚いた。

多くのパレスチナ人を殺したい、と頭の中で考える右翼の人は多い。しかし、それを実行する人間はいない。ゴールドシュタインは、少なからぬ人々の意識下の願望をかなえてみせたのである。

ユダヤ教徒の殺害

事件の現場となった「マクペラの洞窟」とは、旧約聖書によると、アブラハムがこのカナンの地に入ったとき、妻サラの墓にするため、ヘテ人から銀四〇〇シェケルで買い求めた場所だという。それ以来、ここはユダヤ人の祖先をまつる墓として信仰の的となった。しかしユダヤ教の祖先のアブラハムは、同じ神の流れから出たイスラム教にとっても預言者である。しかもアブラハムの長男イスマイルは、アラブの祖先といわれている。

こうしてマクペラの洞窟は、イスラム教徒の聖地になり、イブラヒム・モスクが建てられた。ユダヤ教徒たちもヘブロンにコミュニティを作って住み続けた。しかし、ヨーロッパからユダヤ人移民がパレスチナに大挙押し寄せた頃から緊張が高まり、ユダヤ人移民と、反英・反シオニズムを掲げるパレスチナ人が衝突し、一九二九年の「嘆きの壁」事件の後、ヘブロンに住み続けてきた多数のユダヤ教徒が殺害されたことは前に述べたとおりである。

挑　発

以来長くユダヤ人はヘブロンに住むことはなかった。再び緊張が高まったのは、ヘブロン隣接地にキリヤト・アルバという巨大なユダヤ人入植地が誕生した一九七〇年からである。これは要塞のようにヘブロンを威嚇した。入植者たちは銃を携帯し、一二万人のヘブロンのパレスチナ住民を挑発した。

さらに七九年四月には新たな入植者たちが、ヘブロン市内に住み着いた。ベギン政権はこれを黙認した。彼らパレスチナ人居住地区の真っただ中に住むユダヤ人入植者たちは、その後の火種になる。八〇年五月にPLOはこの入植地を攻撃し、死者六人を出すが、その結果ヘブロンのカワスメ市長は国外追放になった。

ユダヤ人のヘブロン

ヘブロン虐殺事件の一か月半後、私はヘブロン市内のユダヤ人入植地に行った。イブラヒム・モスクも入植地も、厳戒体制のイスラエル兵によって守られていた。丘の上のパレスチナ人の住居の横に、テルルメイダという小さなユダヤ人入植地があり、そこには七家族四五人が住んでいた。

ちょうどこの日からテルルメイダに入植するという若者に会った。アシェル・オハナ、二一歳である。彼は穏やかな顔で語るが、言葉は過激だった。

——どうして、よりによってここに住もうと決めたんですか。

「入植地の立ち退きを求める声があると聞いて、そうさせないためにここに住もうと思ったからです。自分のような人間がもっといれば、立ち退きはないと信じています」

——ゴールドシュタインのしたことを支持しますか。

「はい。とてもいいことをしたと思います」

——なぜですか。

「アラブ人がハマスやジハードといったユダヤ人殺害の団体を組織しているなら、われわれだって彼らを殺すことぐらいできるんだということを見せつけてやらなくちゃいけないと思っているからです」

——でも、あなた方はハマスやジハードを「テロ団体」と呼んでいますが、今度は自分たちがテロリストになるつもりなんですか。

「テロではありません。戦時には敵のアラブ人たちをやっつけなければいけないのです」

——お祈りをしている罪もない人を殺害することも許されるわけですか。

「これは殺害ではありません。殺害とは罪のない人を殺すことです」

——でも、彼らはモスクでお祈りをしてたんですよ。

「ひとりひとり、誰が犯罪者で誰がそうでないかを、いちいち調べてはいられません。今は戦時なんです。戦時には全部が敵で、それを皆殺さないといけないんです」

「アラブ人はみな共犯者」

テルルメイダ入植地の周囲には、軍の基地があった。ヘブロンではほんの四〇〇人のユダヤ人入植者を守るために、二〇〇〇人の軍隊が動員されていた。その裏側に旧約聖書時代のユダヤ人ルツの墓があった。ここからイブラヒム・モスク(マクペラの洞窟)が見渡せた。

私に付いてきた入植地の男の子に聞いた。イェディディヤ・ベンイツハック、一〇歳である。

——もっと静かな暮らしをしたいと思うかい。

「うん」

——それには、どうしたらいい?

「アラブ人をここからおっぽりだしてしまえばいいのさ」

——でも、ここに住んでいるユダヤ人は四〇〇人で、アラブ人は一二万人なんだよ。どうやってアラブ人を追い出すつもりだい?

「やり方は、いろいろあるさ。例えば、みなが逃げて行くように、何人か殺してやるとか」

——でも、人を殺すのはいいことかい?

「人を殺す奴を殺すのは、いいことさ」

——でも、みなが人殺しというわけじゃないよ。

「みなが、その共犯者さ」

キリヤト・アルバの子ども

キリヤト・アルバのゴールドシュタインの墓に行った。カハネ記念広場近くにある。過激派が彼を英雄視し、神聖化するのを恐れ、政府は立派な墓を許可していなかった。粗末な墓石には「主が彼の血をあがないますように」と書かれている。そこにいた三人の子どもに聞いた。

——彼がしたのはいいことだと思う?

「うん、あいつらは僕らの仲間をたくさん殺したから。あいつらが僕らを殺すかわりに、僕らがあいつらを殺すんだ」

——じゃあ、このまま殺し合いを続けたいの?

「うん、殺す。僕が大きくなったら、自動小銃を持って、ゴールドシュタイン先生と同じことがしたい」

——君たちの友だちも同じことを思っているのかな。

「うん、みんなだよ。町のみんなもそう思ってるよ。先生もそう言っている」

「僕が大きくなったら、アラファトとラビンを殺してやる」

「ヘリコプターに乗ってラビンをかっさらって、上からラビンを落としてやるんだ」

――パレスチナ人にも権利があるんじゃないのかい。

「他の誰にも権利はない。僕たちにだけある」

子どもたちは、空手の真似をしながら去っていった。

しかし、イスラエル国内ではゴールドシュタインに批判的な住民が圧倒的に多かった。

少数派

テルアビブのタクシー運転手もゴールドシュタインに批判的だった。

「ゴールドシュタインのせいで、みなメチャメチャさ。これで一年がすっとんじまった。奴があんなことをして、俺が嬉しいとでも思うのかい。やっと静かになりかけたと思ったら、一人の野郎がやって来て、みなメチャメチャにしてくれたのさ。どうしようもないね。奴ら入植者はおっぽりだしたらいいのさ。兵士がたくさんで守らなきゃならないし」

――ユダヤ人入植者の立ち退きには反対じゃないのですね。

「俺かい？ 大喜びだよ。こんな通知が来るんだよ」と彼はケースから書類を取り出した。

「予備役の招集の通知さ。好き好んでこんなことはできないよ。何をしに行くか、知ってるかい？ 銃を撃ちにさ。このタクシーは車庫に入れたままで大損さ。誰を守りに行くって言うんだい。入植者の連中だよ」

――じゃ、政府が彼らを立ち退かせることには反対じゃないんですね。

「今すぐやってくれたらどんなにいいか。そのときは手伝ってやるよ」

和平景気

和平の動きが伝えられると、ガザの土地の値段が高騰した。一ドゥナム(〇・一ヘクタール)が二万ドルから三〇万ドルに跳ね上がった場所もあるという。それで多くの農家がオレンジの栽培をやめてしまった。ただでさえ塩分を含んだ地下水のためダメージを受けていたのだが、オレンジの木の多くは茶色く立ち枯れになった。すでに切り倒され、宅地開発の用地になっているところも多い。

一方でガザの海岸地帯には真っ白なホテルが建設され、ジェリコでも遺跡の横に大きな土産物屋とレストランが店開きし、一九九三年一一月の時点で「イエスの誘惑の山」に面した所に、ホテルの建設が急ピッチで進められていた。

西岸地区のラマラでも中心部の土地の値段が急上昇し、建築ラッシュが始まった。マドリード和平会議以来、土地の価格は上がりっぱなしだという。暫定自治の対象になったジェリコは、エルサレムまで三〇分の距離だが、中心部の土地の値段はほぼ三倍になった。

そうした中で、この和平で利益を誰が得て、誰が得ないのだろうか、という疑問が膨らんだ。

パレスチナ援助国会議

暫定自治協定調印の直後の一〇月一日、アメリカ国務省で四五の国家と機関の代表が参加し、「パレスチナ援助国会議」が開催され、そこで米政府は五年間に五億ドルをアメリカが負担すると表明し、日本は二年間に二億ドルを拠出すると表明した。このほかECは五年間に六億ドル、サウジアラビアは一年間に一億ドルの拠出を決めた。会議は占領地の自治推進のため、電力、水道、道路、住宅、学校など生活基盤の整備のため、五年間に総額二〇億ドルの基金を設けることを決めたが、初年度の六億ドルは、ほとんど無償援助である。このほか世界銀行は、一二億ドルのパレスチナ緊急援助を発表した。これは教育や上下水道、交通網整備などに用いるという。

これらの援助についてガザ産業組合議長のムハンマド・イリアジーに尋ねた。

「誰が支払って、誰が得るのかという問題ですが、それには多くの疑問があります。私の知る限りでは、アメリカはアメリカの企業を通じて投資したがっています。だから援助金は、最初はアメリカやECの企業に、次にイスラエルの企業とのジョイント・ベンチャーに、そして最後にパレスチナ自体の会社にもたらされます。つまり、パレスチナの企業は三番手に来るわけです。ビジネスマンとして私も承知していますが、一番手、二番手、三番手とあるのなら、順番に利益を得て、パレスチナの企業は瓶の底に残っているものしか得られません。それはほとんど空で、水滴が何滴か残っているだけでしょう」

しかも援助国は援助金の用途を厳しくチェックできる態勢ができるまでは、金を渡すわけにはいかないと言い続けた。九四年七月、パレスチナ人の歓呼の中、ガザ市に入ったアラファト議長は、二日、二〇〇〇人のガザ住民を前に、世界銀行や支援国が援助金の用途に条件を付けようとしていると述べ、これはパレスチナ経済を支配しようとする試みにほかならないと、激しく批判した。

一方で「アラファトは援助金を自分の利益にしようとするから、ガラス張りにすることを拒否しているのだ」というキャンペーンが、イスラエルのマスコミで繰り広げられた。

イスラエルの戦略

イスラエルにとってはどうだったろうか。パレスチナに自治を与えなければ、パートナーを組んだり合弁事業を始めることができない。自治がなければ、ECや世界銀行から約束された資金も入ってこない。もっと自治を、というのが経済界の要求で、それをペレスが代弁した。

それでは、オスロ合意の背後にある経済界の獲得目標は何だったのだろうか。それは、パレスチナ市場ではなくアラブの市場である。

イスラエルにとってアラブ世界は巨大市場だった。そのためにパレスチナ自治政府をアラブ世界へのゲートとして使おうと考えた。これをペレスは自著『和解』(舛添要一訳、飛鳥新社)の中で「中東経済圏構想(MEM)」という言葉を用いて展開している。

安全は和平を結ぶことでしか得られないし、パレスチナとの正常化なしに、アラブ諸国との正常化はあり得ないことも理解したのだ。

国家の優先事項の変更

ラビン首相は、和平路線への協力を訴える一九九三年一一月初め、国家の優先事項の変更を説いた。「イスラエルをこれまでとは違う国にする」というのである。経済的にも強力で、社会的にもより進歩的な国家を目指し、軍事面への偏向をただし、移民を受け入れることのできる社会を創出するのだ、と言う。

ラビン首相は、過去九年間でイスラエルの安全保障支援のため二七〇億ドルがアメリカから供与されたことを指摘して、この金はもっと別のことに使えるはずだと述べた。「優先事項の第一は、教育であり、第二は交通インフラの整備、そして第三に失業問題の解消である」と。さらに彼は海外からの投資に言及した。

和平ムードは、海外投資家のイスラエルへの意欲をかきたてるはずだというのだ。ラビンは続ける。「特に観光産業をイスラエルの主要産業にしなければなりません。破壊行為と騒乱の中へは、観光客は訪れません」

イスラエルは危険だというイメージがあって、観光客はあまり来たがらない。しかし、和平ムードがてきめんに反映するのがこの市場だ。九三年の一〇月から一一月にかけて、エルサレムは観光客で賑わい、ベツレヘムにも観光客が戻り始めていた。

「今年はイスラエルの歴史が始まって以来の、多数の観光客を見込んでいます。その数は二〇〇万人になるものと思っています。イスラエルの産業、とくに観光産業のためのインフラ整備の条件を構築しなければなりません」とラビンは言った。

もう少し詳しく、イスラエル外務省の外相経済顧問、オデット・エランに聞いてみた。

「現在、エジプト、イスラエル、ヨルダン、シリアを含めて観光客は年間約四〇〇万人以下です。エジプトにはピラミッドなどの遺跡、ここにはエルサレム、ベツレヘム、ナザレなどの聖地があります。シリア、レバノン、ヨルダンにも世界的観光地があります。平和になればあと四〇〇万人の観光客が見込めるはずです。スペインでは年間四〇〇〇万人の観光客が来るのですから」

こうした考えを裏打ちするのは、和平が始まってからの急速な景気回復だった。ラビンは、九三年のイスラエルの輸出を一五－一七％増加できる見通しを語った。九二年の失業率は一一・二％だったが、九三年には一〇・二％まで落ちたという。『ニューズウィーク』誌(一九九三年九月二二日号)も、「株価も和平期待で高騰」という記事を掲載した。

支配の隠れ蓑か

しかしこれは経済支配でしかないのではないか、経済的に発展したイスラエルが、経済的に困難な状況にある近隣諸国を植民地化するのではないか、という疑念は払拭できなかった。それをイスラエル銀行頭取のフランケルに言ってみた。彼は次のように反論した。

「イスラエルは中東地域を経済的に支配したいとか、しようとは全く思っておりません。ですから近隣諸国はなんら恐れや懸念を抱く必要はないのです。逆に、イスラエルは本当に小国なのです。人口わずか五〇〇万人で、近隣諸国はもっともっと大きな国です。ですから、相互経済活動を通じて皆が利益を得るものと心から信じております」

こうして和平による発展は、相互に利益をもたらす、とフランケルは言った。しかしこの考え方に疑念を表明する人も多い。

4　ラビンの死
――和平挫折の危機――

ラビンと和平

ラビン首相は第三次中東戦争の時の参謀総長だった。その彼は、パレスチナ人がどれほど強く、独立と解放を求めているか知っていた。彼は長い間パレスチナ人を徹底的に弾圧することが、イスラエルの安全を守ることだと信じていた。しかしやがて彼は、そうしたやり方では安全は守れないことを認めざるをえなくなった。

そこで彼は、イスラエルの安全を守る最高責任者として、ＰＬＯとの和平を決意したのである。

一九九三年の暫定自治協定調印の一年あとの九四年五月、カイロ協定が結ばれ、ガザ地区とジェリコ市の先行自治が決定した。その数日後パレスチナ警察がガザに入り、ガザの多くの地域からイスラエル軍が撤退した。

群衆の歓呼の中アラファト議長がガザに入ったのは、七月である。一〇月、ヨルダンとイスラエルの平和協定が締結され、一二月にはアラファトとラビンとペレスはノーベル平和賞を授与された。和平は輝かしい道を歩んでいた。

九五年九月、ラビンはパレスチナ拡大自治協定に調印した。

この拡大自治協定によって、イスラエル軍は撤退を更に進め、西岸地区はA地区(パレスチナ自治区。行政と治安をパレスチナ側が行う)、B地区(パレスチナ側が行政を、イスラエル側が治安を行う)、C地区(イスラエル側が行政・治安を行う)に分けられた。

おそらくラビンは、ワシントンの調印式に出席したころは、どこまで和平を進めるか、自覚していなかったにちがいない。彼は前述のように、当初はPLOに対してほとんど妥協はしないと発言している。しかしPLOとの和平が進むうちに、国民の意識だけでなく、ラビンの意識も変わっていった。彼は和平がもたらす恩恵を、実感していったのである。そしてラビンは自らを「平和の戦士」と呼ぶようになった。国民の多くも、ラビンはイスラエルに真の平和と安全をもたらす指導者だと感じるようになっていった。

ラビン暗殺

一九九五年一一月四日、ラビン首相はテルアビブの平和集会に出席した。

彼は「私は闘ってきた。しかし平和は実現できなかった。だが今、私たちには平和のチャンスがある」と語り、そのあと一〇万人の群衆とともに「平和の歌」をうたった。この歌はかつてラビン自らが軍隊内で歌うことを禁じた反戦歌だった。

しかし壇上から下りたラビンを、ユダヤ教過激派の青年イーガル・アミールの放った三発の銃弾が貫いた。彼は七三歳の生涯を閉じたのである。イスラエル国民は激しい驚きと悲しみに包まれた。

エルサレムのヘルツルの丘に、イスラエルの歴代首相の墓がある。その一画にラビンの遺体は埋められた。ラビン追悼式には、イスラエル国民の五人に一人、一二〇万人が出席した。

犯人のイーガル・アミールは、極右過激派の「エヤル」という組織のメンバーだった。エヤルとは、正式にはユダヤ民族戦闘機関という。なぜアミールはラビン首相を暗殺したのだろうか。

ユダヤ人右翼過激派の危機感

前述のように、一九六七年の第三次中東戦争のとき、イスラエルに勝利を導き占領地をもたらしたのは、当時参謀総長のラビンだった。この前の年に犯人のアミールは生まれた。彼は、占領地は神からユダヤ人に与えられたものだという空気の中で育った。だからラビンが和平を進めて占領地をパレスチナ人に返そうとしたとき、アミールは自分の人生が裏切られたと感じたのだ。

ではなぜこの時期に暗殺が決行されたのか。

拡大自治協定直後、人々はラビンが本気で和平を進めていることを知った。ガザ、ジェリコに続き、ジェニンにパレスチナ自治がもたらされることになった。四〇〇を超える町や村からイスラエル兵が撤退することが決められ、パレスチナの旗がひるがえっていく。この先も占領地の多くの地域がパレスチナ側に返還されることが誰の目にも明らかだった。それにたいして、ユダヤ教過激派や入植者は、危機感をつのらせていた。神から与えられた「約束の地」をラビンは手放そうとしており、神を裏切ろうとしている、と彼らは考えた。こうしてアミールが凶行に及んだのである。

宗教国家の矛盾

イスラエルには、ユダヤ教の戒律を守る宗教的ユダヤ人は、ユダヤ人全体の五分の一しかいないと言われている。しかしユダヤ教を否定すると、イスラエルの存在根拠も危うくなるので、宗教的ユダヤ人は国の政策に大きな影響を与える。

彼らにとって神がすべてである。そして彼らは自分たちが聖書の「約束の地」と不可分に結びついていると感じている。神がこの地をユダヤ人に約束し、ユダヤ人はその神を自分たちの神とあがめた。それにともなって多くのしきたりが発生した。それを守ることがユダヤ教であり、ユダヤ人であることの証しだった。神がいなければ、ユダヤ人もいないと彼らは考えていた。

和平の動きが表に出ると、アメリカの大多数の改革派ユダヤ教徒は和平を歓迎した。しかし世界の正統派ユダヤ教徒たちは反対した。

彼ら正統派ユダヤ教徒から見れば、和平を推進するラビンは神を裏切り、国を滅ぼす裏切り者だった。そして彼らは道路封鎖、投石などをくり返し、「ラビンはナチスだ」「ラビンに死を」と叫んだ。

そしてラビンの殺害を教唆するラビ(ユダヤ教の律法学者)たちの宗教的発言が現われるようになった。ラビンは神を裏切ったから、死に値するとされたのである。

この発言をした者は、一二人のラビたちだと言われている。この一二人のラビの名を政府が公表して裁判にかけないなら、その名を明らかにする、という投書もあらわれ、イスラエルは騒然となった。公表されることを、人々は恐れた。イスラエルの国家の根幹が崩壊する可能性を秘めているからだ。

ラビンの死はたんなる和平賛成派と反対派の抗争の結果ではない。この問題は、宗教的ユダヤ人にとっては、和平よりも、もっと大きく大切な、ユダヤ人のアイデンティティの根幹にかかわる問題なのだ。だから暗殺者にとっては、神と国家との戦争だったのである。

和平のために国家の軌道を修正しようとしたラビンは、それに危機感を強めたユダヤ教過激派にとっては神を冒瀆する者であり、彼は神の名のもとに暗殺されたのである。

言い換えれば、神の法と神の国家の実現をめざすユダヤ教過激派・入植者と、和平を基盤にふつうの国家の繁栄をめざす人々とのあいだの「内戦」により、ラビンという最初の犠牲者が出たということになる。

ラビンの死後、ペレスがあとを継いだ。

和平のチャンス

その後、占領下のジェニン市からイスラエル軍が撤退し、パレスチナ人に開放された。これはラビン暗殺事件の後も、和平が続くことを示す象徴的な出来事だった。一九九六年一月、暫定自治政府の選挙が行われ、議会ではファタハが絶対多数を制し、自治政府代表にはアラファトが選ばれた。

ペレス新政権が入植者とユダヤ教過激派を押さえこみ、和平を進めるチャンスがあるとしたら、それはこのときだった。ペレスの支持率は急上昇し、和平反対派は下落していたからだ。ラビン暗殺の責任を問われることを恐れてユダヤ教過激派は地下に潜った。この時期、ペレスが直ちにヘブロン市内や他のユダヤ人入植地を解体して、入植者を退去させることは可能だっただろう。しかし彼はそれをしなかった。それだけでなく、ラビンの後を継いだペレスは、多くの失敗をおかしていく。

ペレスの失策

かつてラビンとペレスは二人三脚で和平を進めた。計画はペレスが立案し、ラビンが国民を説得した。和平で問題になっている占領地は、ラビンが参謀総長のときに手に入れたものだ。だからラビンは国民に絶大なる信頼があった。ラビンが自分で手に入れたものを返すというのだからいいじゃないか、と多くの人は納得できたのである。

しかしラビンは凶弾に倒れた。

ペレスは、それまでのラビンとの二人三脚の時代とは異なり、一人で二人分の仕事をしなければならなくなった。つまり、イスラエル国民から信頼される「父親」になり、イスラエルの安全に責任をもち、和平を遂行することである。彼はなによりも強い宰相であることを国民に示さなければならなかった。

ラビン亡き後ペレスは、ラビンの役割もはたせることを証明するために、力を見せつける必要を感じて、権力の誇示に走った。

対決の失敗

そしてペレスは最初の失敗をした。

一九九六年二月、イスラエルはイスラム過激派のハマス軍事部門指導者ヤヒヤ・アイヤシュの暗殺を遂行した。

なぜこの時期にアイヤシュを殺さなければならなかったのか。当時ハマスは活動をやめて、様子を見ていた。しかもハマスの軍事部門の中には過激派も穏健派もいる。両者を束ねる指導者を殺すと、過激派をコントロールできなくなる。過激派の行動を押さえるよう交渉するためにも、指導者は必要だというのが政治的な配慮だった。だからそれまでイスラエルは、けっしてナンバー・ワンを殺さなかった。指導者をなくすとテロの嵐が吹き荒れることをよく知っていたからである。イスラエル兵はベイルートで何度もアラファト議長を照準に捕らえていたが、引き金を引く許可は決して下りなかった。

ペレスはこうした常道を踏むことなく、力の誇示のためにアイヤシュを暗殺したのである。そして指導者を殺されたハマスの過激派は、イスラエルに宣戦布告をし、一挙に復讐に出た。ペレスはそれを受けて立つと宣言した。しかしハマスが自爆テロを開始したとき、ペレスはなすすべがなかった。こうした行動を抑制できる人間を、イスラエルは殺してしまったのだ。

連続自爆攻撃が、イスラエルの心臓部を狙った。それはすさまじい爆発だった。バスや、繁華街で自爆テロがおこなわれ、その結果二四〇人の死傷者を出したのである。

ハマスの攻撃は、イスラエルがそれまで経験したどれよりも激しく熾烈なものだった。イスラエルには手の打ちようがなく、次の爆発を防ぐ手段もなかった。明らかにペレスは安全保障の試験に不合格だった。

あせったペレスは、第二の失敗をおかした。

レバノン南部のイスラム・ゲリラ組織ヒズボラを攻撃したときに、国連基地内に逃げこんでいた民間人を爆撃し、一〇〇人を超す大量殺戮を行なったのである。

イスラエルにたいして、レバノンも国連も、世界中が抗議した。そしてヒズボラが大反撃に出た。連日のようにレバノン南部でイスラエル兵がヒズボラに襲われて、死んでいったのである。レバノンはかつてのアメリカにとってのベトナムになり、泥沼化していった。そしてペレスはここでも国民の支持を失ったのだ。

ペレスは一九九六年五月の選挙で、右派リクード連合のネタニヤフに敗れた。イスラム過激派の自爆テロ攻撃とレバノンでの失敗以外に、ペレスの敗因はどこにあったのだろうか。

ネタニヤフ首相の誕生

ふつうに考えれば、選挙の争点は、和平(ペレス)か、反和平(ネタニヤフ)かという構図になるはずだった。しかし選挙運動で、ペレスは「強いイスラエル」を説いた。そしてネタニヤフは「真の和平」を説いた。それはまるで立場が逆転した情景だった。強い首相を見せつけるためにペレスは、和平よりも強力な国家体制を主張し、そしてネタニヤフは人々の警戒を解くためにむしろ和平を主張したのだ。彼が「真の和平」と言うとき、それは安全が保障された和平ということを意味した。

イスラエルの国民がネタニヤフを選んだのには、ほかの要因もあった。和平の動きはイスラエルの経済発展をもたらしたが、その恩恵に浴した人がペレスに投票し、浴さなかった人がネタニヤフを選んだ。

私はテルアビブのシンキン通りを歩いた。スノッブたちがしゃれたブティックをのぞきながら歩いている。ヘルツリアのヨットハーバーにも、金持たちが集まっている。彼らに聞くとほとんどがペレス支持だった。商売をやっていたり店を持っていたりする中産階級以上の人間が、和平の恩恵を受ける。しかし下層階級の人々は和平に関係がない。だから和平でこの国はさらに貧富の差が広がる。テルアビブでは、カルメル市場で残り物を拾い歩く人々を見た。物質的に和平の恩恵を受けていない低所得層の人たちは、ネタニヤフに投票したのだ。

ネタニヤフは国民の心をつかんだ。彼は「真の和平への道を進もうではないか」と呼びかけた。彼の言葉は、あくまで自分たちに有利な和平、自分たちが妥協したり、失ったりすることのない和平を意味していた。

もうひとつネタニヤフに追い風になったのは、オリエント系ユダヤ人たちである。イスラエルのユダヤ人の低所得者層は、アラブ世界から来たユダヤ人だ。彼らとパレスチナ人を分かつものは何か。それは宗教しかない。顔つきは同じだし、言葉も文化圏もアラブのそれだ。だから彼らはとりわけ熱心なユダヤ教徒、国粋主義的ユダヤ人になる必要があったのだ。彼らは和平による下(パレスチナ人)との平等などを求めていなかった。上(イスラエルの中産階級)との平等を求めたのである。

トンネル事件

そうしたときに、エルサレムのトンネル開通にともなう大争乱が起こった。これはヘロデ王の神殿の西の外壁にあたる部分(「嘆きの壁」)に沿って地下を歩けるようになっている観光用トンネルで、昔の上水道施設を利用したものだった。パレスチナ人だけでなく世界のイスラム教徒が問題にしたのは、この場所がイスラムの聖地でもあったからである。

一九九六年九月、ネタニヤフはトンネルの出口を開ける許可を出した。

その瞬間、パレスチナ人の怒りが爆発した。九月二五日に衝突が起こり、翌日さらに拡大した。パレスチナ側の死者は六四人にのぼったが、イスラエル兵の死者も一五人を数えた。

パレスチナ人たちのあいだに鬱屈していた、ネタニヤフ政策への不満、和平を反古にする強硬姿勢、ヘブロンからのイスラエル兵と入植者撤退の約束を破ったことなどが、怒りとなって爆発したといえる。

しかしそれよりも決定的だったのは、やはりエルサレムに手をつけたということだった。イスラム教にとってのエルサレムの重要性を軽視しすぎたのである。このときエルサレムがパレスチナのイスラム教徒だけでなく、世界の一一・五億人といわれるイスラム教徒にとっての聖地だということを、イスラエルは思い知ることになる。

トンネル事件のパレスチナ人反乱によって、テルアビブの証券取引所の株価は急落した。

エルサレム首都圏拡大計画

一九九七年三月、ネタニヤフは東エルサレムのハルホマ地区に、六五〇〇戸を擁する入植地を建設する計画にゴーサインを出した。ハルホマはエルサレムとベツレヘムの間にある小高い丘である。

ネタニヤフの目的は、エルサレムを拡大して、入植地を建設し、東エルサレムを西岸から完全に切り離し、イスラエル主権のもとに置くための既成事実を積み重ねることだった。和平を葬り去ろうとするネタニヤフに、イスラエルの和平推進派は抗議の声を強めた。テルアビブでは、ピース・ナウの集会があり、二〇歳前後のユダヤ人青年たち二万人が集まった。イスラエルの旗が振られ、壇上から男が絶叫した。

「エジプトとの関係をだれが壊したか、ビビ（ネタニヤフの愛称）だ。ヨルダンとの関係をだれが壊したか、ビビだ。アメリカとの関係をだれが壊したか、ビビだ。われわれにはイスラエルとパレスチナの二つの国が必要だ。二つの民族のために、戦争はノー！　平和はイエス！　と叫ぼう」

ワイ・リバー合意

しかしリクードのネタニヤフといえども、歴代首相がアメリカ大統領と交わした合意事項を簡単に闇に葬るわけにはいかない。

一九九八年一〇月、クリントン、アラファト、ネタニヤフの間でワイ・リバー合意が結ばれ、これによってイスラエル軍の追加撤退合意が進められることになった。パレスチナ側は西岸地区の四〇％とガザの全域を受けとることになった。これは全パレスチナ二万六三〇〇平方キロの九・七％にあたる二五四三平方キロにあたる。

しかし、これはミニ・パレスチナ（パレスチナ全土の二二・六％）どころか、ミニミニ・パレスチナ国家だった。そしてイスラエルのユダヤ人入植地やエルサレム首都圏拡大など既成事実の積み重ねを追認するものだと、ハマスやイスラム・ジハードは猛烈な反対を行なったのである。

この合意さえ、実施は凍結された。ネタニヤフは連立与党を組む国内反和平派の反対を押し切ることはできなかったからである。そして一九九九年五月のリクードから労働党への政権交代となるのである。

5　和平の崩壊
――シャロンの戦争――

一九九九年五月、ネタニヤフは選挙で労働党のエフード・バラク(元参謀総長)に敗れた。このあとリクード党党首は、レバノン戦争と虐殺事件当時の国防相アリエ・シャロンに替わった。

バラクの混乱

バラクは、ネタニヤフ首相の時代に完全に停滞した和平プロセスを再び軌道に乗せるべく、ムバラク・エジプト大統領、フセイン・ヨルダン国王、オルブライト米国務長官の立ち会いの下、シャルム・アル・シェイフ合意を行ない、二〇〇〇年九月一三日までに和平を達成するということを確認した。

しかしその後交渉は難航した。

バラク首相は占領下のゴラン高原返還交渉をシリアとの間で行なってきたが、交渉は最後の数百メートルを巡る攻防で決裂した。水資源の確保を求めるイスラエルと、ゴラン高原からの完全撤退を求めるシリアとの間に妥協がなかったせいである。

しかしこのころ、レバノン南部のイスラム過激派ヒズボラと、イスラエル軍及びイスラエルの支援を受けた南レバノン軍との間で戦闘が激化し、イスラエル側に多くの犠牲者がでた。ヒズボラの攻勢は誰にも止められないほどになり、二〇〇〇年六月、バラクはイスラエル軍のレバノンからの撤退を決定した。和平の約束なしの一方的撤退は、イスラエルがはじめて経験するものだった。南レバノン軍に参加していたレバノン人兵士や家族は、ヒズボラの報復を恐れて、多くがイスラエル内に移り住んだ。

そして、二〇〇〇年七月、キャンプ・デービッドの会議が決裂した。エルサレム問題で妥協が出来ないパレスチナの立場に加え、一九四八年に発生した難民の帰還問題、入植地問題などが大きな障害となっていた。キャンプ・デービッドでバラクがアラファトに提案したのは、パレスチナ国家の非武装化、領域は西岸全体の九〇%以下、入植地が整理統合されイスラエル主権下におかれること、難民の帰還権と保障(国連決議一九四)の凍結などだった。バラクはたえず最終的な提案の形でアラファトに示し、それを受け入れるか、決裂かと迫った。アラファトはこの提案がパレスチナ側の悲願である国家独立とはほど遠い内容だとして、拒絶した。

そして、アラファトは二〇〇〇年九月一三日の独立宣言の延期を決定しなければならなかった。パレスチナ人は失望を隠せなかった。

第二次インティファーダの勃発

一方、イスラエルの右派は、バラクが和平のために多くの妥協をしようとしていることに危機感をつのらせていた。そして二〇〇〇年九月二八日、野党リクード党党首アリエ・シャロンは、護衛の警官一〇〇〇人とともにエルサレムの「ハラム・アッシャリーフ(高貴なる聖域)」(ユダヤ教では「神殿の丘」)に登った。ここにはアルアクサ・モスクと岩のドームがある。多くの反対の声を無視した、明らかな挑発行為だった。これまでイスラエルの右翼過激派によるアルアクサ・モスク放火事件や、爆破未遂事件などが起こっており、極右勢力は、イスラムの建物を破壊してユダヤ教神殿を再建することを主張していたという経緯があるため、パレスチナ側は警戒心を強めていたのである。シャロンの行動を阻止しなかったことは、明らかにバラクの失政だった。

翌二九日に二万人のイスラム教徒が抗議行動を開始し、嘆きの壁に祈禱に来ていたユダヤ教徒に投石した。この民衆蜂起は、「第二次インティファーダ」あるいは「アルアクサ・インティファーダ」と呼ばれる。

一〇月一日までに死者は三〇人以上にのぼった。ほとんどはパレスチナ人である。

この日ガザで、一二歳のムハンマドが射殺されるまでの一部始終を、テレビカメラがとらえて、世界中に配信し、衝撃を与えた。彼は父親と買い物に出かけた帰りに、パレスチナ側とイスラエル軍の衝突に巻き込まれ、射殺されたのである。

当初イスラエル側は、パレスチナ警察によって後ろから射殺されたと説明していたが、事件を目撃した多くのジャーナリストから、イスラエル側の犯行であることが判明した。

この日、インティファーダはイスラエル内パレスチナ人にも広がり、ナザレなど三〇の市町村で投石や放火が起こった。四日までに死者は六五人にのぼり、負傷者は一三〇〇人以上にふくれあがった。七日、レバノンのイスラム過激派ヒズボラがインティファーダに呼応し、三人のイスラエル兵を拉致した。

この日未明、自治区ナブルスのパレスチナ人が市のはずれにあったヨセフの墓に放火し、破壊した。このときユダヤ人ラビが殺されている。イスラムのモスクへの放火も頻発した。衝突は一挙に人種戦争、宗教戦争の様相を帯びていった。

このアルアクサ・インティファーダは、パレスチナの三一組織によって構成される「パレスチナ民族・イスラム最高委員会」によって指導された。自治政府は参加していない。

イメージの戦争

一二日朝、パレスチナ自治区のラマラでイスラエル兵二人がリンチで殺された。彼らは旧ソ連からの移民だったが、道を間違えてラマラに入ってしまったのだ。そのときラマラではイスラエル軍に殺された人の葬式を行なっていた。二人はパレスチナ警察に連行されたが、怒った群衆が警察を襲撃し、二人を撲殺し、二階の窓から突き落とすという陰惨な事件に発展したのである。この直後にイスラエル軍のヘリコプターは、ラマラとガザの警察施設五か所をミサイルで攻撃した。

イスラエル側もメディアが撮影する映像を積極的に用いた。イタリア・テレビ局が撮影したイスラエル兵リンチ殺人の映像は、イスラエルと欧米諸国で連日報道され続けたのである。それはムハンマド少年の射殺映像がイスラエルに与えた悪印象を払拭しようとすることと、パレスチナ人の残虐さを伝える効果をねらったものだった。

二二日、アラブ首脳会議が、イスラエルの侵略行為を批判し、エルサレムを首都とするパレスチナ独立国家樹立を支持すると表明した。

なぜ対立が起きたのか

イスラエルの世論は一方的に責任をパレスチナ側に押し付けた。しかし、夏までイスラエル秘密警察シャバクの長官だったアミ・アヤロンは、イスラエルのテレビのインタビューを受け、加熱するレポーター達を制して、唯一冷静な意見を述べた。

当時イスラエルでは、すべての騒乱の統率権はアラファトにあり、彼が交渉を有利に運ぶようにと事態を操作していると伝えられていた。しかしアヤロンは、アラファトはパレスチナ人の民衆の怒りや失望に背を押されて行動をしているに過ぎないと発言した。さらにラマラでのイスラエル兵のリンチ事件の映像を指差しながら次のように発言した。

「これがいい例だ。彼らはハマスではない。これはたった二週間前までイスラエルとの和平を信じていた人間たちだ。彼らは和平を待望しており、それが失望に変わったときにこうした行為に出たのだ」

彼はイスラエル側の挑発と過剰な暴力使用の責任に言及し、聴衆を唖然とさせたのである。

交渉の決裂

二〇〇一年一月、バラクはクリントンと会談後、最後の賭けにでた。東エルサレムを含む占領地の九六%をパレスチナ側に引き渡すというものである。世界がバラクの和平の姿勢を賞賛した。

しかしアラファトはこれを拒否した。

バラクが提案したのは本当に、占領地のほぼ全面返還だったのだろうか。

すでに占領地に建設されたハイウェイはユダヤ人専用道路となり、自治区を寸断していた。「国の中に別の国の指が伸びていくような形で道路が造られている」と述べたのは、『ハアレツ』紙編集者のエウド・エンギルである。これはアパルトヘイト(人種隔離政策)のシステムだと指摘する声もあった。パレスチナ人は主要都市を移動するとき、イスラエルの許可が必要なのだ。

ヨルダン川沿いのヨルダンとの国境地帯は、安全保障の理由から、バラクはパレスチナ側に渡すつもりがなかった。パレスチナとヨルダンの間は、数本の道でしかつながっていなかった。パレスチナはほぼそっくりイスラエルに囲まれていたのである。そして入植地はバラク政権の下でも、どんどん増え続けていた。エルサレムが占領地内に拡張していき、巨大な入植地マーレー・アドミームも工事が進んでいた。バラクが提案したのは、実際には九六％ではなく八五―八七％だといわれている。

キャンプ・デービッドで何が話し合われたか、記録は発表されていない。地図に線を引いたわけでもない。そしてバラクは交渉をうち切る形で、最終案を突きつけて、これを受け入れるかどうかと迫ったのだ。拡張されたエルサレムの問題、エルサレムの聖域をめぐる提案、難民帰還問題、非武装化問題など、どれもアラファトだけで決められる問題ではなかった。アラファトはバラクの最終提案を受け入れることができなかった。

シャロン政権の誕生

二〇〇一年一月、バラクの提案をアラファトは拒否した。その直後の二月に、首相公選によって、シャロンが圧勝した。シャロンは六二・四％、バラクは三七・六％の得票だった。

かつて労働党に投票したパレスチナ人のほとんどが棄権した。バラクは、イスラエル内パレスチナ人に一三人の死者を出した責任を問われていた。さらにパレスチナ人はバラクに振り回された経験をもっていた。パレスチナ人は和平に期待して、結局何も実りがなかった。彼らの失望感と絶望感は大変なものだった。そしてバラクは言っていることとやることが一致していないが、シャロンは言うこととやることが一致している、という理由でシャロンに投票する

演説するシャロン首相(2001 年 12 月，提供：UPI＝共同)

人々も出たのである。

左派にも棄権あるいは白票運動が広がった。バラクが和平派に失望を与え続けてきたというのがその理由である。逆にバラクが多くをアラファトに妥協しすぎるとして、中間派もバラクを見放した。

こうしてシャロン政権が誕生したのである。シャロンは首相選で勝利した後、労働党と連立政権をうち立てた。労働党の参加する新政府は左派を切り崩し、イスラエルから反対勢力をほぼ一掃することになった。

その後シャロンは、いよいよエルサレム拡張と入植を進め、二〇〇一年だけで入植者数は五％増えた。占領地を返還できないように既成事実を進めることが、彼の目的だった。

占領地に次々ともうけられた新しい道路をパレスチナ人が通行することは、ほとんど不可能だった。

そこからパレスチナの村々への道にはブロックがもうけられ、車の通行は禁止され、検問所が至る所に設けられた。村々は孤立した島のようなものだった。

そしてイスラエルの学校では、一九六七年以前の国境を教えないようになった。教師もかつての国境線を知らない。

パレスチナ問題の解決

シャロンはどのようにパレスチナ問題を解決しようとしていたのだろうか。彼にとっての最良の解決は、パレスチナ人がいなくなることだった。しかし「移送」によるこの人口学的な解決は、大きな戦争でもなければ、なかなか困難だ。だがそうした状況を作り出す才能をシャロンは持っている。

しかしそうなればどういう事態になるか。

パレスチナ人が西岸地域から追放されるとしたら、ヨルダンに行くほかはない。ヨルダンは今でも国民の六〇％がパレスチナ人だ。ベドウィン遊牧民出身の国王がなんとか持ちこたえているけれども、これ以上パレスチナ人が増えると、ヨルダン王制は倒れる。するとドミノ倒しのように、サウジアラビアなど湾岸諸国に波及していく。周辺諸国政府も黙って見過ごしたら国民の反発が強く、無傷ですむ国はないだろう。問題は単にアラブ・イスラエル戦争では済まなくなる。

石油利権を背景にしているブッシュ米政権は、こうした事態を絶対に許すわけにはいかない。

アメリカは現在の石油利権の構図を変えてしまう危険は絶対に冒さないし、自分の利益を守るためにはどこへでも軍隊を出す。イスラエルはアメリカの利益に反することをできない。人口学的解決は困難だ。

すると次の解決は何か。

シャロンは当時、パレスチナ人がすべての望みが絶たれたと感じたら、自暴自棄なテロの嵐が吹き荒れるだろうと考えた。だから交渉で和平が続くという幻想を、アラファトやパレスチナ人にもたせ続けたほうがいいと判断したのだ。

シャロンが国防相と外相を労働党に譲ったのには、こうした計算がある。特に和平のホープだったペレスが外相になったことで、パレスチナ人の幻想は続いた。しかし、それはもっと大きい悲劇をもたらした。イスラエルの政界に、批判勢力が無くなってしまったのだ。日本で野党が連立政権に参加したときに、野党の終焉が始まったように、事態は危険な方向に行く。

アフガン戦争

二〇〇一年九月一一日にニューヨークの貿易センタービル、ワシントンの国防総省に、ハイジャックされた航空機が突っ込み、三〇〇〇人以上が殺害された。

特に貿易センタービルが崩壊する様子は、全世界に衝撃を与えた。

事件直後に、パレスチナ解放人民戦線(PFLP)が、リーダーを殺された復讐としてこれを行なったというニュースが流れた。しかしすぐイスラム過激派の犯行と訂正された。

ブッシュ米大統領はただちにこれを戦争と位置づけ、アルカイダ・グループのリーダー、オサマ・ビンラディンを首謀者と名指して、軍をアフガニスタンに差し向け、同時にタリバン政権にビンラディンの身柄を引き渡すように迫った。

タリバン政権はこれを拒否した。そして一〇月七日(現地時間)深夜に米軍は空爆を開始した。「テロに対する戦争」が始まったのである。

九月一一日のニューヨーク・テロに対するアメリカの断固たる姿勢は、イスラエルを勇気づけた。イスラエルはこれまでパレスチナ側のあらゆる攻撃をテロと呼んできた。そしてアメリカもようやく自分たちのようにテロにさらされる国民の身になって理解してくれるようになり、反撃を決意してくれたかと考えたのである。

ブッシュ大統領は次のように演説した。「文明世界全体が米国の側に立っている。……この戦いはいまだ経験したことのないものだ。しかし、結果は明らかだ。自由と恐怖、正義と残酷さが戦っている」(二〇〇一年九月二一日付『朝日新聞』)

しかしニューヨークのテロと、パレスチナの占領地解放の戦いは、全く異なると考える人々も、決して少なくなかった。エジプトの『アルアクバル』紙(二〇〇一年九月一二日付)社説は次のように書いている。

「国際法を尊重する国際社会の一員として、われわれエジプト人はこのような自爆作戦を非難し、罪のない人々の霊に哀悼の意をささげねばならない。

実行犯はまだ不明だ。しかし、次のことは言える。丸腰のパレスチナ人を攻撃し、占領を続けるイスラエルの行為を黙認し続けていることが、一一日の異常な行為の背景にあるのではないかと」(二〇〇一年九月一四日付『朝日新聞』)。

ブッシュの選択

このときアメリカは二つの選択を迫られていた。第一は、同じ「テロ」と闘うイスラエルとの協調路線を強化させる道である。第二は、パレスチナ問題を中心とする中東問題の解決に向かう道である。

アメリカは一見、「正義」の報復戦争で国家一丸となっているように見えても、今回の打撃が経済界に与えた影響に直面しなければならなかった。

クリントンと違ってブッシュは、これまでパレスチナ問題に関わる気は毛頭なかった。しかしアメリカ国内には経済界を中心に、「アメリカはイスラエルの虜囚なのではないか、イスラエルの言うがままになっているせいで、イスラム諸国と敵対関係しか構築できなくなり、アメリカに大きな損失をもたらしたのではないか」という反省が大きくなっていった。ましてやブッシュは石油利権を背景にしている政権である。

戦争が長引くとともに、アメリカは第二の道を模索した。そしてアフガン爆撃に対する周辺諸国の同意を取り付けるために、一〇月二日、ブッシュははじめてパレスチナ独立に言及した。

こうしたアメリカの動きに、イスラエルの右派勢力は警戒心を強めた。アメリカがテロリスト撲滅という理由でアフガニスタンを爆撃して良いなら、自分たちもパレスチナ人自治区を爆撃していいはずだ、と考える一方で、自分たちは切り捨てられるかもしれない、というあせりも感じていたのである。このような背景から、イスラエル軍は「テロに対する戦争」に同調して、一〇月二、三日ガザに侵攻した。

ズエビ観光相の暗殺

二〇〇一年一〇月九日、私はパレスチナに向かった。一七日、イスラエルのズエビ観光相がエルサレムのホテルでＰＦＬＰに暗殺された。くしくも私が宿泊していたホテルだった。これはＰＦＬＰのムスタファ議長が八月に暗殺されたことへの報復だった。

ズエビは、パレスチナ問題の解決として「パレスチナ人のヨルダンへの移送」を主張していた極右の人物だった。つまり占領地のパレスチナ人を追放するしか、イスラエルの安全は保てないと考えていたのである。彼の葬式は盛大に行なわれた。それは極右でなくても右派の多くが、彼の考えに同調していたことを思い至らせた。

イスラエル軍は報復として、一八日にファタハの武装組織の車を爆発させ、指導者を暗殺した。そして一〇月一九日未明、ベイトジャラとベツレヘムに戦車で侵攻を開始した。さらに翌二〇日、イスラエル軍はトゥルカレムとカルキリアに侵攻した。

一連のイスラエルの行動は、アメリカの「テロに対する戦争」に水を差すのは明らかだった。特にキリスト教の聖地ベツレヘムを占領したことは、世界のキリスト教界から大きな圧力がかかった。一〇月二二日に米政府は、イスラエルの自治区からの撤退を要求したが、イスラエルはこれを拒絶した。イスラエルが国際的圧力のもと撤退を開始したのは、一〇月二八日である。自治区への侵攻以来の一〇日間で、パレスチナ人の死者は四〇人を超えた。

報復　一二月一日から二日にかけて、ハマスの連続自爆テロによって二七人が死んだあと、イスラエル政府は、その関係者とズエビ観光相暗殺の犯人を捕らえるようにと、アラファトに迫った。それに応じて、一二月三日までにパレスチナ警察は、一連の自爆攻撃の関係者として、ハマスとイスラム・ジハードの一〇〇人を逮捕したのである。

しかしイスラエル政府は、これにはズエビ観光相暗殺の首謀者が含まれていないとして、一二月三日、軍をラマラに侵攻させ、議長府から五〇〇メートルのところに戦車を進めた。これでアラファトは実質的に議長府の建物に軟禁状態におかれたのだった。

この処置に労働党は反対した。しかしシャロンは同じ三日に、ガザの自治政府施設をミサイルで攻撃し、翌四日にも自治政府関連施設をF16戦闘機で空爆した。これはアラファトがテロ対策に責任をもたないなら、イスラエルが直接手を下すという意思表示でもあった。

この一二月四日、イスラエル政府はパレスチナ自治政府を「テロ支援体制」に指定した。これを受けてアメリカは、ハマスに資金を送っていると疑われた米国慈善団体などの資産を緊急凍結した。イスラエルからの自治政府への圧力は否応にも増し、仕方なくアラファトは、徹底的な過激派逮捕を続けたが、これはパレスチナ人からすればイスラエルへの完全な屈服に映った。そして自治政府とハマスの対立が激化していった。

さらに一二日にパレスチナ過激派がイスラエルのバスを襲撃し、乗客一〇人が死亡した。イスラエル軍は自治政府の建物を空爆するとともに、シャロンは緊急安全保障閣議でアラファト議長との関係断絶を決定した。

一二月一六日になって、アラファト議長は武力闘争の即時停止をパレスチナ民衆に呼びかけた。二一日にはハマスやイスラム・ジハードも自爆攻撃の停止を宣言した。

このあとしばらく比較的平穏な時間が過ぎた。それが破られるのは二〇〇二年一月三日の武器密輸船のイスラエル軍によるだ捕事件である。

独立戦争　私は二〇〇一年の一一月から一二月末まで、二度に渡りアフガン難民の取材を行なった。そして二〇〇二年一月に再びパレスチナに戻った。

二〇〇二年になって、対立は明らかにこれまでとは異なる様相を見せ始めていた。情勢の緊迫度は加速度を増して進んだ。

パレスチナ側の報復の間隔が非常に狭まったことが、まず上げられる。イスラエルがパレスチナ人の暗殺をしたら、その数時間後には報復を覚悟しなくてはならなくなった。

そしてイスラエル側の打撃が大きくなった。イスラエル軍は頻繁に空爆やミサイル爆撃を繰り返したが、打つ手がなくなってきた。そしてイスラエルのユダヤ人は心理的に追いこまれてきた。

インティファーダの時代は終わった。そして過酷なパレスチナ独立戦争の時代が始まったのである。

自爆や銃による攻撃は、ハマスとイスラム・ジハードなどのイスラム「原理主義」と呼ばれる武装過激派と、PFLPやDFLP、そしてファタハの武装組織によって行なわれている。ファタハ傘下の武装組織の自爆開始によってイスラエルの被害は拡大した。

二〇〇二年一月一七日、イスラエル中部のハデラの宴会場で、一二歳の女の子の成人式に、パレスチナ人が銃を乱射し、六人が死亡した。これがおそらく新しい戦争の幕開けになったのではないだろうか。一月から二月にかけて、自爆テロの死者は、犯人を含めて二八人になった。二月の中旬になって、イスラエルとパレスチナの力関係が変わった。二月一〇日、ハマス製のロケット弾カッサム2が、ガザ地区から発射された。この射程五―八キロ、重さ五キロの弾頭を搭載するロケット弾の登場は、圧倒的に有利な立場にあったイスラエル側を、驚愕させた。イスラエルの緊急治安閣議では「状況は新たな厳しい段階に入った」と確認された。

さらに一四日、イスラエルの最新鋭の戦車メルカバ3が、パレスチナ側のしかけた新型地雷で大破し、死者を出した。これもイスラエル軍にとっては信じられない出来事だった。

こうして、シャロンのやり方ではイスラエルの安全は保てないと考える人が増えていった。

しかし、イスラエルとパレスチナの兵力の差は歴然としていた。私はこの頃ラマラであるパレスチナ人の死を目撃している。

倒れゆく兵士

一月二三日、私はイスラエル軍戦車が侵攻したパレスチナ自治区のラマラを取材していた。私が撮影していた数メートル先で、ファタハ地下組織タンジームの男たちが、戦車を迎え撃っていた。しかし彼らの銃では戦車に損害を与えることはできない。それでもむざむざと戦車の侵入を手をこまねいて許すわけにはいかないと、パレスチナ人たちが武器で交戦していたのだ。

突然その一人の体が崩れた。私には何が起こったのか分からなかった。そして彼の体が地面に崩れるように倒れた時、私ははじめて彼が撃たれたことを知った。

彼を貫いたのはイスラエル狙撃兵のたった一発の銃弾だった。彼は叫び声を上げることもなく、そのまま息を引き取った。

打ち砕かれたのは、彼の抵抗の意志だった。それもあっけなく、たった一発で彼は静かに死んだ。あとにはそこにい合わせたパレスチナ兵士にも少数のジャーナリストにも、重苦しい沈

一発の銃弾によって，このパレスチナ人兵士は命を絶たれた（ラマラ，2002 年 1 月）

黙が襲った。男は、自分の町に侵入した軍隊に対して小火器で応戦して、欧米から「テロリスト」として名指されたまま、死んでいったのだ。

このとき私は、抵抗の意思表示の時代が、あの兵士の死で終わったように思った。この頃、圧倒的に多くのパレスチナ人が、イスラエルに対抗するにはやはり自爆テロしかないと考え始めたのである。

二〇〇二年一月二七日、エルサレムで女性による自爆テロが起こった。ラマラの難民キャンプに住む女性だった。女性の自爆テロ参加ははじめてであった。絶望するパレスチナ人社会で自爆テロへの参加希望者のすそ野が一挙に広がった。

イスラエルは難民キャンプを空爆し、自治政府治安施設をミサイル攻撃し、議長府の建物を空爆し、砲弾を打ちこんだ。さらにガザ空港やパレスチナ放送局を爆破した。しかしそれでパレスチナ人の闘いを封じ込めることができるとは、誰も信じていなかった。

ユダヤ人の恐怖

私の知り合いのユダヤ人女性は、車に乗ってバスの横を通過するときは、バスの爆発を想像して、スピードをあげて追い越すと話した。二年前にはヒッチハイクの人を乗せていたが、今では誰が乗ってくるか分からないため、車を止める人はほとんどないという。たとえ女性でも止めない。パレスチナ人を雇っている店も、だんだん少なくなっている。客が近寄らないからだ。

バスの中央ステーション、大型店舗は、自爆テロの対象になる可能性が高いため、人々は近付かない。親たちは子どもに、そういうところに近寄るなと注意している。

そのほか多くのユダヤ人に聞いたが、一九六七年以前の国境近くにある、ユダヤ人の町やキブツにも行きたがらない人が増えているのには驚いた。人々の頭の中では、イスラエルは国境から数キロ小さくなっていたのだ。大イスラエルを唱えて実行しているシャロンは、イスラエルを小さくしてしまったのである。

自爆テロは防ぎようがない、というのがイスラエル人の諦めの感情だ。退路を作る必要がないため、実行が簡単だ。そして死んでもいいと考えている実行犯を防ぐことは、非常に困難なのだ。

二月下旬にシャロンは、イスラエルの安全保障のために占領地内にパレスチナ自治区との緩衝地帯を設ける案を発表した。これは自治区の主要都市を分断・隔離し、監視網のめぐらされた、二〇〇キロにも及ぶ塀や地雷原で遮断された地帯となるという。

6　新しい戦争
――二〇〇二年二―四月――

二〇〇二年二月の、イスラエルが世界最強と誇るメルカバ戦車の破壊と、ハマスのロケット攻撃で、イスラエルは国民の動揺を静める必要に迫られていた。シャロン首相の支持率は急激に下がっていった。

二月二〇日に、イスラエルはアラファト議長府をミサイルで攻撃した。そして緩衝地帯を作るために、ガザのエジプト国境付近のパレスチナ人家屋を次々と破壊していった。

パレスチナ人の通行を制限する検問所では、緊張が高まっていた。私は二一日にエルサレムに着いてすぐ、ラマラに向かおうとしたが、途中のカランディア難民キャンプの前にある検問所が完全に封鎖され、人っ子ひとりいない。直前に検問所の封鎖に抗議した三一歳のパレスチナ人男性が射殺されたのだ。遺体を安置している病院で、犠牲者の弟が放心状態になっていた。

二二日、イスラエルはハマスの幹部を四人暗殺した。少しして、ラジオが「予想できない事態に突入しようとしている」と伝えた。その一時間後には、エルサレムでの銃撃事件が起こった。報復までの間隔があまりに短くなったことに、誰もが驚いていた。
二五日、再び検問所でのイスラエル兵の銃撃が引き金になって、衝突が始まった。

この日未明に検問所で、出産のため病院に行こうとしたパレスチナ人女性の乗った車がイスラエル兵に銃撃され、夫ともう一人の男性が死亡し、妻が負傷した。幸い赤ちゃんは無事病院で生まれた。報復が、その日のうちに行なわれた。午後、ベツレヘム近くでユダヤ人入植者の車が襲われ、二人が死亡、妊婦一人を含む二人が負傷した。この場合も赤ちゃんは無事誕生した。

その夜も報復は続いた。東エルサレムのユダヤ人入植地のバス停で、二人のパレスチナ人が銃を乱射したのである。犯人は一人が射殺され、一人は逃走した。負傷したイスラエルの婦人警官が、二六日になって死亡した。

ユダヤ人の恐怖は、大変なものだった。西エルサレムの中心街、特にジャッファ通りは、厳戒体制下におかれ、警察、軍が交差点に数十人も立って監視し、道行く人を止めて、身分証明書を確認している。

パレスチナ側の犠牲者は圧倒的に民間人だった。たとえば三月四日にイスラエルの攻撃で死亡したパレスチナ人一五人のうち一二人は女性や子どもや医師、そのほかの民間人だった。

自爆テロもイスラエルの攻撃も、列挙できないほど頻繁に起こるようになった。

九日にはエルサレムの喫茶店で自爆テロが起こり、一一人が殺された。

さらに世界最強と自負していたイスラエル軍に大変なショックを与えた事件がある。三月三日、占領地内の検問所で、旧式の単発銃を持つパレスチナ人に、六人のイスラエル兵と三人の民間人が射殺されたのである。たった三〇発で、これだけの被害を出したのだ。しかも犯人は逃亡した。翌朝のイスラエル・テレビでは、呆然としたイスラエル軍の解説者の、動揺を隠せないコメントが続いた。それは「イスラエル兵は優秀だということを疑ってはいけない」と何度も言い聞かせるように繰り返された。

イスラエル兵が占領地で任務につく目的の最大のものは、ユダヤ人入植地の安全を守るためであった。そのためにイスラエル兵が死んでいっても良いのか、議論が巻き起こった。

イスラエル軍は五日にガザに、八日にベツレヘムに侵攻し、死者の数も膨大なものになっていった。この日までの一週間の死者は、イスラエル人三六人、パレスチナ人一〇四人である。

一〇日、イスラエル軍はガザの議長府をミサイルで完全に破壊した。イスラエル軍はさらにベツレヘム、ガザ、トゥルカレムに侵攻した。

そしてガザのユダヤ人入植地も襲撃され、五人が殺害された。報復として、シャロンは各地の難民キャンプや村で、徹底的な掃討作戦を行なった。家屋の破壊、逮捕、放火が行なわれた。トゥルカレムでは救急車の看護士や運転手が射殺された。私が病院の遺体安置所で見た男の子は、母親に連れられて病院に行くところを射殺された。男たちは学校に集められ、尋問され、逮捕されていった。

シャロン首相は、相手が「悪かった、許してくれ」と言うまで、叩きのめす、と言った。一一日はテルアビブの右派ユダヤ人の集会で八万人と言われる群衆は、「戦争！　戦争！」、「復讐！　復讐！」と叫んだ。

しかしアナン国連事務総長は激しい言葉でイスラエル批判を行なった。国連事務総長が、イスラエルの占領地の行動を違法だとはっきりと非難するのははじめてである。同時に国連安保理は一二日、イスラエルとパレスチナ国家共存を盛りこんだ決議を採択した。

この日、イスラエル軍はアラファト議長のいるラマラを完全に制圧した。アメリカの圧力で撤退したのは一五日である。

「守りの壁」作戦

三月二七日、イスラエル中央部の海岸に面するナタニヤで自爆テロが起こり、二一人が殺された。この日はユダヤ教の「過ぎ越しの祭り」の第一夜だった。

翌二八日、アラブ連盟首脳会議は「ベイルート宣言」を採択した。それはイスラエルの第三次中東戦争での全占領地からの撤退、パレスチナ難民問題の公正な解決、東エルサレムを首都とするパレスチナ国家の樹立、アラブ諸国とイスラエルとの包括的和平を結び、安全を保障することを決議したものだった。

しかし時は遅かった。

二九日未明、イスラエルはアラファト議長を敵と宣言し、予備役二万人を招集し「守りの壁」と呼ぶ大規模軍事作戦を開始したのである。イスラエルの大軍は、ラマラを再占領し、アラファト議長を監禁状態に置いた。この日、一八歳の女性がエルサレム近郊のスーパーマーケットで自爆し、二二人が死傷した。

国連安保理は三〇日未明、イスラエルの撤退を求める決議を採択した。三〇日から三一日にかけて、三件の自爆テロが起こり、一八人が死亡した。

イスラエル軍は、三一日にカルキリアへ、四月一日にベツレヘムへ侵攻し、聖誕教会を包囲した。中には武装勢力と民間人二〇〇人が監禁された。さらにナブルス、ジェニンも再占領された。これらの場所では外出禁止令がしかれ、軍事閉鎖地区と宣言された。外国人記者も近づくだけで銃撃されたのである。

六日、AP通信は二〇〇一年九月以降の死者はパレスチナ人一三六八人、イスラエル人四三三人になったと発表した。

一二日、エルサレムのマハネユフダ市場で女性の自爆テロがあり、六人が殺された。

米国務長官パウエルがこれを批判し、アラファトは、はじめてアラビア語でテロと言う言葉を用いて、民間人を標的にしたあらゆるテロを批判し、個人によるもの集団によるもの、国家

ジェニン難民キャンプでは，1 km² に約 15,000 人が住んでいたが，中心部はイスラエル軍の攻撃で瓦礫の山となった(2002 年 4 月)

によるものを問わないと発言した。これはイスラエルの行為もテロとする考えである。

「守りの壁」作戦は、四月一四日まででイスラエル軍死者二九人、負傷者一二五人、パレスチナ人死者一八八人、負傷者五九九人、逮捕者四二三〇人を出した。だが、これには虐殺が行なわれたかどうか調査が始まったジェニンのパレスチナ人死者が含まれていない。

ジェニンの戦争

被害が大きかったのはナブルスとジェニンである。特にジェニン難民キャンプの作戦に対しては世界中から非難が高まった。イスラエル内でも、元教育相のシュロミット・アロニは「イスラエル政府は、今パレスチナ人を強制収容所に類似した状況においている。私たちは彼らがガス死させられるまで抗議の時期を待たなければならないのだろうか」と発言した。

そしてジェニンに食糧を届けるためのデモに参加したユダヤ人の中には、かつてナチスによってユダヤ人がつけられた黄色いダビデの星のマークを胸につけて、今パレスチナ人が大量虐殺されようとしていると抗議する人々もいた。

この間にパウエル国務長官はイスラエルを訪れた。しかしイスラエルの行為を追認しただけだった。「テロに対する正義の戦争」を掲げたアメリカは、シャロンを説得できる論理をもたなかったのだ。

世界中でデモが巻き起こり、ヨーロッパの各国は武器禁輸措置に踏み切った。アナン事務総長はパレスチナへの多国籍部隊派遣を安保理に提案した。これに対し、シャロン首相は全面的に反対している。

私はジェニンに入ろうと四日間試みた。その間難民キャンプには照明弾が次々とおとされ、また別の日は、照明に照らされた場所で、夜中ブルドーザーによる作業が行なわれていた。

私はようやく一七日と一八日に難民キャンプに入ることが出来た。

そこは壮大な一〇〇メートル四方に及ぶ瓦礫の墓場だった。足首や内臓が散乱していた。

イスラエルの攻撃に浴室に逃げ込んだ女性が射殺されたという話や、パレスチナ側が降伏した後、中心部の建物がブルドーザーで破壊され、動けない息子が家の中にいるという母親の訴えにもかかわらず、息子は生き埋めになってしまったという話や、銃撃から逃げて高い窓から次々と子どもたちが飛び降りていったという証言を聞いた。

家宅捜索した兵士が、財布から七〇〇シェケルと、携帯電話を盗んだという証言も聞いた。かつてのイスラエルの傀儡だった南レバノン軍(SLA)が今度の作戦に参加しているとも聞いた。死体は一度穴に放り込んで、掘り返してどこかに運び去ったという話もあった。イスラエル北部と南部の砂漠に埋めて隠したという人もいた。死者の数は五〇〇人にのぼるとパレスチナ側は主張している。一方イスラエルは死者の数は約七〇―八〇人で、そのほとんどは武装勢力だと述べている。

死者の数がどんな規模のものであれ、イスラエルはこのジェニンの悲劇の重さを、これから数十年間、負い続けることになるだろう。そしてジェニンの名をかぶせた自爆テロの嵐が吹き荒れるかもしれない。そしてそれを理由に、シャロン首相は第二、第三のジェニンを作るだろう。

ジェニンでは、イスラエル兵二六人がパレスチナ抵抗勢力に殺された。ジェニンはイスラエルにとって巨大な軍隊の敗退のターニングポイント、「スターリングラード」の始まりになるのだろうか。そしてその先にパレスチナ独立国家が誕生するのだろうか。イスラエルとパレスチナの人々が、平和に共存する日は来るのだろうか。

第3章　視　　点

この笑顔の未来は？　レバノンのパレスチナ・キャンプで(ベイルート，1990年)

1 ユダヤ人
―民族か、宗教か―

パレスチナ問題は、歴史や国際情勢の動きを追うだけでは理解できない。この第三章ではもっと基本的な問題について考えてみたい。まず旧約聖書に基づく歴史を簡単に見ておこう。

ユダヤ人の歴史

神はアブラハムにカナンの地（かつてパレスチナのことをこう呼んだ）を与えると約束した（創世記）。そのため、ここは「約束の地」と呼ばれるようになる。アブラハムはカナンに行くが、そこにはすでにカナン人が住んでいた。アブラハムの子孫はその後、飢饉のカナンを離れ、エジプトに住み、やがてモーゼに率いられてエジプトを出て（エクソダス）、カナンに戻る。

そしてダビデがこの地を統一するが、ソロモンのあと王国は南北に分裂し、両者はあいついで滅ぼされる。イスラエルの民の一部はバビロンに囚われ、自由になって一度カナンに戻るが、その地はさまざまな帝国の支配下に置かれた。ユダヤ人の反乱はいくつかあったが、ローマ軍によってヘロデ王朝が滅びたあと、ユダヤ人は最終的にカナンの地を追われた（紀元七〇年）のである。

離散(ディアスポラ)のユダヤ人は迫害にあい続けながらも、いつか約束の地に戻ることを願い、そしておよそ一九〇〇年後に念願かなって、イスラエルの建国(一九四八年)を為し遂げた。こうした話は、『十戒』をはじめとする多くの映画や小説で、私たちにもなじみが深い。

これが史実かどうかは後述するが、少なくとも旧約聖書に基づく歴史が、パレスチナの土地の歴史というより「ユダヤ民族」史であることに、読者の方々は気づいておられるだろう。そこでこのパレスチナという土地の歴史にも簡単に触れておきたい。

カナン人

政治的・宗教的背景がどうであれ、ここを訪れた人は誰でも、この大地と自然の深い魅力にとらえられるに違いない。私の場合もそうだった。ここは太古の昔に海の底からもち上がった石灰岩の白い大地で、その風化した赤い土がところどころで表面を覆い、緑の草原を育んでいた。時々ハムシーンと呼ばれる乾いた熱砂の嵐が吹き荒れた。そして冬には、新たな生命の誕生を準備する慈雨が大地にうるおいを与えた。私は、大昔にこの地に住みついて、神々を祭っていた人々のことを、いつも想像していた。地中海の砂浜や、時には畑の中からも土器やガラスの破片が見つかった。人々の足跡は至るところに刻まれていた。

パレスチナでは三〇万年ほど前の人骨が発掘され、この人々を原パレスチナ人と呼んでいる。しかしこの人々がどこから来て、どこに行ったのかは分からない。

やがて紀元前四〇〇〇年頃からカナン人と呼ばれる人々が住みつき始めた。アモリ人やエブス人なども来る。エブス人はエルサレムを建設したといわれている。この人々の発祥地については、さまざまな説がある。M・A・アミーリィは『エルサレム——アラブ的起源と遺産』の中で、アラビア半島に住む遊牧民だったカナン人が、人口増加によってこの地方に移動し続けたと言っている。そしてアモリ人もエブス人も、同じ地域から異なる時代に移動してきた、同じ根をもつ人々——アラブ人だ、という。

『聖地の考古学』を著わしたキャサリーン・ケニヨンも、有史前から遊牧民たちが、何波にも分かれてカナンの地に押し寄せ、定着するようになった、と述べている。セム系の言語を話していたアラビア出身の遊牧民たちが、何千年にもわたり、カナンに移動してきたというのだ。カナン人も、ペリシテ人(やがてこの人々の名にちなんで、この地が「パレスチナ」と呼ばれるようになる)も、この移民の波の一つだというのである。

この地の支配者が次々と入れ替わったのには理由があった。それはここがアジア、アフリカ、ヨーロッパの三大陸のかけ橋にあたり、軍事的にも貿易の面からも重要な拠点だったからである。それに加えてここは「肥沃な三日月地帯」と呼ばれる豊かな地だった。

三つの宗教の聖地

この地の中央に位置するエルサレムが、姉妹関係にある三大啓示宗教(ユダヤ教、キリスト教、イスラム教)の聖地となったことも紛争の種になった。これらの宗教は同じ神を拝むが、ユダヤ教は私たちが旧約聖書と呼んでいる書物を、キリスト教は旧約聖書に加えて、預言者イエスをとおして神より啓示された新約聖書を、イスラム教は、前記の二書に加えて、預言者ムハンマド(マホメット)をとおして神より啓示されたクルアーン(コーラン)をもつのである。

占領者の変遷

アブラハムがこの地に来たといわれる頃、ここはカナンの地と呼ばれ、ジェリコはすでに都市国家としての機能をもっていたという。聖書には、はるかのちになってダビデがエルサレムを占領したと書かれているが、それでもカナンに住む原住民が、どこかに行ってしまったという記録はない。住民は占領軍とその集団の支配下におかれながらも、そこに住み続けた。

歴史が占領者の名をつづることによって表わされるとしたら、この地はエジプト、ヒッタイト、カナナン、フェニキア、ペリシテ、ユダヤ、アッシリア、バビロニア、ペルシャ、マケドニア、ローマ、イスラム、十字軍、トルコと移り変わったことになる。しかしそこに住む人々の眼から歴史を見たら、ここは占領者が次々と入れ替わり、そのもとで改宗と混血をくり返しながらも、住民が住み続けたということになるだろう。そしてその人々は、かつてカナン人と呼ばれ、現在パレスチナ人と呼ばれているのである。

パレスチナという名は、カナンの地に移住してきたペリシテ人に由来することは前述のとおりである。ダビデ以前のこの地の支配者は、ペリシテ人とフェニキア人だった。やがて、その人々のある部分は追放され、ある部分は混血し、同化していく。そして「カナン」と呼ばれていたこの地は、やがてローマによって「パレスチナ」と呼ばれるようになっていった。

パレスチナ人と宗教

だからパレスチナというのは土地の呼び名であり、ペリシテ人が歴史から名を消したあと、そういう名の民族が存在し続けたわけではない。パレスチナ人を血統や身体的特徴で表わそうとしても無駄である。パレスチナ人とはこのパレスチナという土地に住んできたということに帰属性を見いだす人のことであり、占領者がどう入れ替わろうとも、この地に住み続けた人々の総称である。

支配者の集団は、この地の支配者が替わったとき、多くは追放された。しかし元の支配者の集団や、支配下に置かれていた人々の中には、新しい支配者の宗教への改宗によってここに留まった人、支配者の引き連れてきた人々との混血によって、留まった人も決して少なくなかった。だからローマ支配に替わるときに、ユダヤ教徒や、ユダヤ教集団の支配下に置かれてきた人々がすべて離散したというのは当たっていない。それ以降、この地の住民がローマ軍だけになったなどと、どの歴史書も書いていない。ここには住み続けた人がいたのである。それが先ほども言ったように、パレスチナ人と呼ばれる人々である。

七世紀はじめにムハンマドがイスラム教を興したあと、イスラム教を奉じたアラブ軍はパレスチナに押し寄せ、六四〇年には、このあたり一帯は彼らの支配のもとに置かれた。

そのあと、パレスチナにいたユダヤ教徒の多くはイスラム教に改宗したという。だから現在のパレスチナ人の血には、これらユダヤ教徒の血が流れているという考えもあるが、その人々がもとからユダヤ教徒であったのか、別の宗教からユダヤ教に改宗したのか、知ることはできない。

パレスチナ人という言葉が土地に根ざす非人種的・非宗教的概念なのに対して、ユダヤ人という言葉は、まず宗教的な概念である。パレスチナ人が土地に帰属性をもつ概念である以上、その土地に住むユダヤ教徒たちもパレスチナ人と呼ばれた。こうしてパレスチナ人の歴史は、その中にユダヤ教徒やキリスト教徒やイスラム教徒を内包しながら、この地に根ざす人々、この土地に帰属性をもつ人々によって、脈々と受け継がれたのである。同じ土地に住む人々にとっては、ユダヤ教も、キリスト教も、イスラム教も、人種概念ではなく、宗教上の区分けでしかないことは明白だった。みな似たような顔をし、同じ言葉(かつてはアラム語、のちにはアラビア語)をしゃべっていたからである。

アラブ支配下のパレスチナでは、宗派の違いによる迫害は姿を消した。この地が再び流血の嵐にみまわれるのは、一〇九六年の十字軍の来襲以降である。十字軍は、ヨーロッパのユダヤ人を虐殺し、パレスチナでもユダヤ教徒やイスラム教徒や東方キリスト教徒を虐殺し、エルサレム王国を樹立するが、一一八七年にアラブの雄サラーフ・アッディーン(サラディン)がエルサレムを攻略し、一二九一年に十字軍は最終的に姿を消し、マムルーク・トルコの支配下に入る。これ以来、パレスチナにヨーロッパからユダヤ人移民が押し寄せる二〇世紀初めまで、人々は宗派の違いを越えて共存していた。

ユダヤ人とは誰か

まずユダヤ人とは誰のことを指すのか、考えてみたい。なぜそんなことを今さら問題にしなければならないのだろう。ユダヤ人の定義など、すでに自明のことではないのか、という人も多いに違いない。ところがそうではない。この問題をめぐって、イスラエル国内でもさまざまな説が対立し、法廷にもちこまれたり、国会での決議をめぐってデモが起こったりしている。

この「ユダヤ人とは誰か」の定義は、イスラエルの国家の根本に関わる問題である。同時にこれはパレスチナ問題の解決とも、大きく関わる問題なのである。

ユダヤ人という民族がいるのか、それは人種なのか、一つの宗教を信じるユダヤ教徒と呼ぶべき存在なのか、それらを合わせたものなのか。

英和辞書で'Jew'を引くと、ユダヤ人、ユダヤ教徒、守銭奴などと書かれている。これらは欧米の辞書にならったからこうなったのだろう。この辞書の'Jew'という言葉の解釈自体、すでに問題をはらんでいる。

ワシ鼻?

それでは一般に信じられているユダヤ人の定義や特質を列挙してみよう。まず身体的なものがある。これはユダヤ人が、たとえばワシ鼻が特徴であるとか、聖書時代からの同じ血を引くとかいうものだ。

これは本当だろうか。ニューヨークは、世界で一番ユダヤ人の多く住む都市(一七五万人)であり、その人口はイスラエルのユダヤ人口に次いで多いが、そこの人々の間でワシ鼻の占める率は、アメリカの他の白人全体でワシ鼻の占める率より少ないという。

また血液調査では、Aという国に住むユダヤ人と、Bという国に住むユダヤ人との間における血液の特徴の差は、Aの国およびBの国の中のユダヤ人と非ユダヤ人との差よりも大きい、という結果もでている。

ユダヤ人のDNA

しかし当のユダヤ人の中には、聖書のアブラハムの血を引いていると信じている人が多い。そうしたユダヤ人のアイデンティティを、遺伝子調査によって明らかにしようとする人々や団体がお金を出し、ユダヤ人に特徴的な遺伝子を探す研究が行なわれている。

研究を委託されたのは、テルアビブ大学遺伝子研究所のバットシェバ所長である。

彼女は二〇〇〇年に研究の成果を発表し、世界中で大きなセンセーションを巻き起こした。新聞や雑誌は「ユダヤ人に特有の遺伝子はない。一番近い遺伝子配列の傾向を持っているのはパレスチナ人」とする彼女の報告を大きく取り上げたのである。

私は彼女をテルアビブ大学に訪ねた。研究室には超低温の冷凍貯蔵庫があり、そこには世界中のユダヤ人の遺伝子情報が保管されていた。

彼女は私の質問に、アブラハムの遺伝子を見つけたいという人々がいることは理解できるが、ユダヤ人に特有の遺伝子というものは存在しない、と言明する。しかし彼女は自分の研究が大きな政治的センセーションを巻き起こしたことで当惑していた。彼女は研究成果に忠実であろうとしただけだという。

彼女はユダヤ人だけでなく、民族を決定する遺伝子というものは存在しないし、遺伝子配列は変化していく、と言う。そして「私たちはユダヤ人だろうがなかろうが、みんな九九％の遺伝子が同じなのです」と続ける。

ユダヤ人が同じ血をもち、同じ身体的特徴をもつ民族だと考える人は、一度イスラエルに行ってみるといい。そこではインド系の人々、アフリカ系の黒色や褐色の人々、東欧の人々、アラブ人の特徴をもつモロッコやイエメンの人々がいて、まるで民族のるつぼである。私はイスラエルで一つの漫画を見たが、それはヨーロッパから来たユダヤ人が、イスラエルは白人の国だと思っていたら、そこには肌の色が黒色も褐色も黄色の人もいて、みんな自分がユダヤ人だと言っていたので、がっかりして国を出ていく、というものであった。

バットシェバの研究を待つことなく、簡単に歴史をなぞっても、聖書の時代のユダヤ人と、もっとも近い姿形をもち、同じ血を受け継いでいる人々が現在のパレスチナ人の中に見出せることがわかるだろう。

しかし旧約学の浅見定雄は、聖書を忠実に読むと、モーゼもダビデもソロモンも雑婚をし、混血をくり返していることを指摘している。ソロモンは七〇〇人の妻と三〇〇人の側女をもち、それぞれの出身国の宗教を自由に拝ませ、子どももユダヤ人という枠組から排除したわけではなかった。そのソロモンも、ダビデとヒッタイト人の妻との間に生まれている。

ユダヤ人の未曾有の大虐殺は、ナチスのニュールンベルク法によって確定された。ナチスはユダヤ人がアーリア人の純血を汚すから、同化を認めないと決め、その人の祖父母のうち三人までがユダヤ人なら、その人はユダヤ人であると規定した。この法の制定によってユダヤ人は隔離され、追放され、やがて虐殺されていったのである。

金銭に卑しい？

ユダヤ系の人は金銭に卑しい、というのはどうだろうか。シェークスピアの『ベニスの商人』のシャイロックがユダヤ人の典型なのだろうか。しかし日本人がユダヤ人の特質として理解していることは、すべて欧米のキリスト教世界の言うことをそのまま翻訳したものだった。

この問題は、なぜユダヤ人が迫害されたのか、という問題と強く結びついている。ユダヤ人が迫害されたのは、キリスト教世界の中であった。その他の世界のユダヤ人は、ほとんど迫害を経験していないことに注目しなければならない。

板垣雄三東京大学名誉教授によると、ユダヤ教の世界から誕生したキリスト教が、ユダヤ教から独立していく過程で、人間全般を、ユダヤ人と非ユダヤ人(異邦人)に分け、ユダヤ人の宗教をユダヤ教、非ユダヤ人の宗教(あるいは非ユダヤ人に予定されている宗教)をキリスト教に区別した。このキリスト教世界は、内部に「ユダヤ人」を区別し、差別し続け、キリスト教が世界に広まると同時に、この差別の構造も広まっていった。その差別に一役買ったのが、イエスはユダヤ人によって十字架にかけられ、殺された、という話である。

一方マルクスは、ユダヤ人が生き残ったのは、資本の生成の過程で一つの役割を果たしたからだ、と述べている。同時にこれはユダヤ人が迫害された理由でもあった。

キリスト教世界では、ユダヤ人が土地を保有し農業に従事すること、そして公的職業につくことを禁止してきた。この人々は、金融、学問、芸術、宝飾品、商業などの分野に集中することになった。一説では、ユダヤ人社会は、こうした部門でのギルドのような役割を果たし、それらの職につくためには、ユダヤ人社会の一員になることも必要だったという。

しかし自国資本の成長にともない、キリスト教社会がこうした分野を必要とするにつれ、ユダヤ人は「金銭に卑しい」と、やっかみと蔑視をこめて言われるところとなったのだろう。この考えが今でも英和辞書に「守銭奴」と記されているような、差別と迫害を生み出した。

欧米の対応

ところでユダヤ人を迫害したのは、ナチスだけに見られた現象ではない。ユダヤ人差別の長い歴史をもつヨーロッパの各国は、ナチスのあと生き残ったユダヤ人を自国で引き受けようとはしなかった。アメリカに例を見るように、ユダヤ人社会はユダヤ人の引受け計画を反対してつぶした。また自国で引き受けようとしたユダヤ人団体と、それに反対するシオニストが激しく対立したこともあった。

そしてほとんどの場合、ヨーロッパの各国は、ナチスが敗れたあとも、口では人道主義的なことを言っていながら、ユダヤ人を邪魔者にし、彼らがパレスチナに行くことを望み、そこに国家をつくるシオニズムを支援したのである。

聖書の矛盾

ところで現在のイスラエルには、神の約束した地はすべて手中にしなければならない、と考える人々が多く存在し、その人々の動きが占領地政策や入植地建設などと強くかかわっている。

前出の浅見定雄によると、聖書を信仰の書と考えるだけでなく、史実の書と考えるなら、多くの矛盾と向き合わねばならない。しかし天地が六日間で創られたことも史実と考える人々が実際にいる。アメリカなどでは、進化論が聖書の記述に反するとして、学校教育から排斥される動きもあるというから、大まじめな話なのだ。

一九九九年、イスラエルの代表的な新聞『ハアレッツ』紙に、センセーショナルな記事が掲載された。それは週末特集という形の数ページにわたる大特集で、テルアビブ大学考古学教授のズエーブ・ヘルツォーグのインタビューの形で次のようなことが発表されていたのだ。

モーゼが存在した形跡は無い。ヨシュアがカナンに攻め込んできて、ジェリコが陥落したという話も史実に反する。ダビデの時代にはエルサレムはほんの小さな町だった……。

私がヘルツォーグにインタビューしてただすと、聖書と史実が合わないということは、世界の考古学会ではすでに定説になっており、およそ紀元前九世紀以前の記述はほとんど史実に合致しない、と言う。

メギド遺跡を発掘調査しているテルアビブ大学考古学部長のイスラエル・フィンケルシュタインにもインタビューした。彼も長年の発掘調査の結果、聖書の記述は、ある時期以前のものは史実ではないと断言せざるをえない、と述べた。こうしたことをイスラエルで発表することは、これまではほとんどタブーだった。なぜ今タブーではなくなったのか聞くと、「イスラエル国家は建国後五〇年以上たって、成長し、聖書にとらわれず、科学的な真実を受け入れることができるほど強くなったからだ」と言う。こうして「革命的な研究成果を大衆に知らせる時期がきた」のだというのだ。

ユダヤ人として迫害された長い歴史のあと、シオニズム運動がイスラエルを建国したが、そののち自分たちで「ユダヤ人」の定義を考える必要が生じた。

イスラエル国樹立宣言で「イスラエルは、ユダヤ人の移民と離散者の集合のために門戸を開放する」と言うときの「ユダヤ人」は誰を指すのか、またイスラエルでは憲法と同じ働きをする「帰還法」で「すべてのユダヤ人はこの国に移住する権利をもつ」と言うときの「ユダヤ人」をどう定義するのかということが、大問題になっていくのである。

民族的存在か宗教的存在か

問題となったのは「ユダヤ人」とは民族的存在なのだろうか、宗教的存在なのだろうか、ということだった。前者の場合、キリスト教徒やイスラム教徒の「ユダヤ人」がいてもかまわないことになる。

ポーランドのユダヤ人にオスワルド・ルフェイセンという人がいた。彼はナチスに追われて、森の中の修道院にかくまわれた。そこで彼はキリスト教徒に改宗し、ダニエル神父となる。その後パルチザンの活動を通じて、彼はユダヤ人社会で英雄となった。彼は自分が、「ユダヤ民族」に属しているキリスト教徒なのだと考えていた。そして自分が民族的に「約束の地」と強く結びついていると信じていたのである。やがて彼は一九五八年にイスラエルに渡り、「帰還法」の適用を求めた。イスラエル市民権を獲得しようとしたのである。

イスラエルは騒然となった。「キリスト教徒のユダヤ人」など言語道断だというのである。こうして、「ユダヤ人はユダヤ教徒でなければならないのか」という問題が裁判で争われた。イスラエルのユダヤ人の過半数がユダヤ教の戒律を守る信者ではない、という問題をどうするのか、ということも争点になった。

しかし判決は「ルフェイセンはユダヤ人ではない」というものだった。これはユダヤ人が民族的存在であるという定義が、宗教的存在であるという定義に敗れた例である。

シオニストとユダヤ教界

シオニズムは非宗教的な運動である。しかも社会主義というイデオロギーが混ざったシオニズムは、信仰の世界とはほど遠い。最初の頃、ユダヤ教界はこのシオニズムに反対した。聖書は、神がユダヤ人を「約束の地」から追放したとき、神が許すまで、ユダヤ人は離散の生活を続けると述べている。人間が勝手に国を作って救済してはいけないのだ。今でもイスラエルでは、建国記念日に黒旗をあげて、喪に服す「ネトレイ・カルタ」というユダヤ教徒の集団がある。

しかしナチスによるユダヤ人弾圧が大きくなる過程で、ユダヤ人国家設立に反対するユダヤ教グループは少数となり、シオニストとユダヤ教界の妥協が始まる。シオニストの側はユダヤ教を否定したら、パレスチナに国をつくることを正当化できない、ということをよく知っていた。聖書の中で神がユダヤ人を選んで(選民)、カナンの地(パレスチナ)を与えたからこそ、この地に戻ったと言えるわけである。その根本のユダヤ教を否定したらどうなるのだろう。単に昔住んでいたという理由だけで他人の地に押しかけて、土地を奪ったことになってしまう。

宗教的解釈

しかしシオニズムの主流は労働党系の人々で、社会主義者を自任し、非宗教的な人々である。彼らは「ユダヤ人」の定義をすることができなかった。そこでシオニストは、この問題の解決をユダヤ教の宗教的解釈にゆだねることにした。しかし、最初からそううまくいったわけではない。多くのトラブルはいまだに続いている。

一九五八年にシオニスト左派マパム党の大臣が、「本人あるいは両親が、ユダヤ人と申告すれば、ユダヤ人として登録する」と定めた。ユダヤ人としてイスラエルに来る人々は、証明書も何もかも焼かれて、たどりついた人々が多かったのである。しかし、このように本人が自分のアイデンティティを決定するというやり方は、大問題となり、結局大臣は更迭され、国家宗教党がこのポストを握る。以来ユダヤ人の定義は、宗教的解釈が採用されていくことになる。

ナショナリティ

イスラエルの身分証明書には「ナショナリティ、国籍、宗教」の三つの欄がある。もっとも重要なのは第一のナショナリティで、ここに「ユダヤ人」と書かれるかどうかが、イスラエル国家でさまざまな権利を享受できるか、それとも差別されるかの境目である。

ふつう日本では、ナショナリティの欄には、「日本人」と書くはずである。しかし、ここでは「イスラエル人」と書き込むべき国籍の欄は二番目になっている。

こんなナショナリティの欄などなくてもいいという議論もあった。母親が「ユダヤ人」でなくても、「ユダヤ人」として迫害された人、自分が「ユダヤ人」であると証明できないけれども、「ユダヤ人」として育てられた人、こうした人々にとってはイスラエル人という国籍だけで充分だと裁判所が判断を下したのである。しかし、その決定はすぐ国会でくつがえされた。このナショナリティの項目については、二〇〇二年になって、削除を求める意見が正統派ユダヤ教徒陣営から起こっている。その理由は次の通りだ。

イスラエルでは最近、改革派ユダヤ教の手続きでユダヤ教徒に改宗した者もユダヤ人と認めるべきだ、という議論が盛んになっている。それで、そんな人間をユダヤ人と認めるぐらいならナショナリティの項を削除したほうがいい、と正統派ユダヤ教徒が主張しているのだ。

また、社会主義者のユダヤ人が、宗教欄にユダヤ教と書かれては自分の信条に反するとして、宗教欄に「なし」と書くように求めて裁判を起こしたこともある。これは認められなかった。ナザレ市の市会議員の女性が、母親がユダヤ人でないと密告され、身分証の返却を求められたこともある。

ラビ会議

こうした過程で、ユダヤ教の宗教指導者たちは、いよいよ権力を集中していった。

イスラエルにはラビ会議(・ラビはユダヤ教の律法学者)という第二の政府がある、と囁かれ始める。ここにはブラックリストがあり、誰かが「Aはユダヤ人でない」と密告すると、このノートに記録され、のちにAが結婚を届け出ようとして、ラビ会議の承認を求めると、ラビ会議はAに対し、Aがユダヤ人であるという証拠の提出を求めるのである。それができないと、Aはイスラエルでは結婚できないし、ユダヤ人墓地にも葬られない。ただし、兵役はつとめなければならない。

確立した定義

結局、イスラエルでユダヤ人は、「ユダヤ人を母親として生まれた者、またはユダヤ教に改宗した者で、他の宗教を信仰していない者」と定義されるようになった。

これは一九七〇年に改正された帰還法に定められている。

ユダヤ人として迫害され、ナチスの手から命からがら逃げてきた人が、イスラエルでは、母親がユダヤ人ではないという理由で、ユダヤ人とは認められず、市民権を得ることができない、という例が続出した。それらの人にも、国防の任務は義務づけられる。『誰がユダヤ人か』(アキバ・オール著、広河隆一・幸松菊子訳、話の特集)には、戦争で両足を切断された若者が、イスラエル首相にあてた手紙が収録されている。彼は「私は祖国のために両足を失ったのでしょうか。それとも私は間違っていて、この国は私の祖国などではないのでしょうか」と書いている。彼の父はユダヤ人だったが、母はキリスト教徒だったのだ。

前出の『誰がユダヤ人か』の著者ユダヤ人学者アキバ・オールは、次のように結論づける。

宗教的定義

「宗教的なものにしろ、非宗教的なものにしろ、他の〔ユダヤ人〕定義には、例えば次のようなものがある。「ユダヤ人とはユダヤ人の母から生まれた者である」「ユダヤ人とは聖書(旧約)を信じる者である」「ユダヤ人とは反ユダヤ主義によってユダヤ人と定義(または迫害)された者である」「ユダヤ人とは、自分がユダヤ人だと感じている者である」「ユダヤ人とは精神的中心がイスラエルである者である」などである。以上はすべて迷い出てきそうなものを、檻の中に入れておくために考え出された、間に合わせの定義にすぎない。それらのさまざまな定義は、宗教の戒律という神中心主義の日常的証明のかわりに、起源、思想、感情、迫害などを利用しているにすぎない」

こうしてオールは「ユダヤ人とはユダヤ教の戒律(ハラハー)を実践する者である」という宗教的定義だけを認める。他ならぬ戒律を守るという行為によって、ユダヤ教社会は生き延びたからである。しかしこの場合、もはや現在ではユダヤ人は非常に少ないことを認めなければならない。今では戒律を守る人は、ごく少数の宗教者だけだからである。

世界中のユダヤ人の若者が、非ユダヤ人と雑婚していくことも、シオニストを苦しめている。特にユダヤ人の男が非ユダヤ人の女と結婚して生まれる子どもは、ユダヤ人では無くなるからである。

シオニストの指導者にとっては、こうした雑婚でユダヤ人の系統が途絶えることは、物理的な大虐殺に匹敵する危機と映るのである。

この節の最後に、ハザール帝国のことにもふれておきたい。

ハザール帝国

ハザールは、八世紀から一二世紀までカスピ海と黒海のあいだにあった帝国で、国民がユダヤ教に改宗したことで知られている。このことはその時代の様々な歴史文献に書かれている。

ところが最近までイスラエルではこのハザールの研究はタブー視されていた。なぜならユダヤ人がハザール出身だということになると、故郷はパレスチナではなく、カスピ海と黒海の間という事になるからである。

しかし最近この問題についても、イスラエルで議論がたたかわされるようになってきた。まずイスラエル・テレビ(チャンネル2)が現地取材を経て、三時間にのぼるハザールの特集番組を放映した。レポーターはイスラエルで非常に人気のあるエウド・ヤアリである。

さらに一九九九年、エルサレムでハザール・シンポジウムが開催された。そのときにイスラエルの学者たちが中心になって、ハザールが現在のユダヤ人に及ぼした影響について、さまざまな発表があった。

ここでは、現在のアシュケナジーの源流の一つがハザール出身者であることは、何人もの学者が指摘したという。

特に興味深かったのは、ハザール語がアシュケナジーの言語であるイーディッシュに、どのような影響を与えたのかという発表で、この問題では二人の学者が議論をたたかわせた。例えばナチスの強制収容所の中で語られていたのは、どんな言葉だったのかという研究によれば、「便所」とか、ある種の病気、男性器を表すような言葉が、ハザールの言葉のまま残っていたと発表された。またイーディッシュ語でいちばん大切な言葉は、「お祈りをする」という言葉だが、それがハザール語であったという。

ハザール研究は、イスラエルではタブーを解かれて、次第に自由に語られるようになってきている。ユダヤ人の源流に多様性を認め始める時期にきたといえるのかもしれない。

しかし、こうしたことは宗教的ユダヤ人にとってはどうでもいいことである。彼らにとって大切なのは信仰の問題で、考古学者や歴史学者がなんと言おうと関係ない。聖書は真実であり、神を疑うことは許されないからだ。

2 パレスチナ人
——難民、イスラエル国民——

ユダヤ人の定義が、民族や宗教や国家のさまざまな問題に関っていることを、前節で見てきたが、それでは、パレスチナ人はどうだろうか。

国民憲章の定義

前節では、パレスチナ人とは、パレスチナという土地に住んできたということに帰属性を見いだす人々のことを指す、と述べたが、ここではもう少し詳しく見てみよう。

PLO(パレスチナ解放機構)のパレスチナ国民憲章は次のように言っている。

第五条　パレスチナ人とは、一九四七年まで正常にパレスチナに居住していたアラブ住民であり、その後この土地を退去させられた者であるか、あるいはそこに留まった者であるかは問わない。また一九四七年以後、パレスチナ内であろうと外であろうと、パレスチナ人を父親として生まれた者は、すべてパレスチナ人である。

第六条　シオニストの侵略が始まる以前にパレスチナに正常に居住していたユダヤ教徒は、パレスチナ人と見なされる。

難民登録されているパレスチナ人と難民キャンプの数

	人　数	キャンプの数
ヨルダン川西岸地区	61 万人	19
ガザ地区	85	8
ヨルダン	164	10
レバノン	38	12
シリア	39	10
合　計	387	59

(国連難民救済事業機関，2001 年 6 月発表)

なぜ「パレスチナ人を父親として生まれた者」なのか。アラブ世界は、父権制で、かつての日本と同じように、父親が国籍決定の鍵を握っている。そのためここでは「親がパレスチナ人」とは書かずに「父親がパレスチナ人」なら子どもはパレスチナ人、とされているのだ。

難民

一九四八年と六七年の戦争で、パレスチナ人たちの多くは難民となった。

二〇〇一年六月発表の国連難民救済事業機関に難民として登録されているパレスチナ人の統計は上の表の通りである。

世界には、難民と呼ばれる人々は多い。一九四八年のイスラエル建国の過程で出現したパレスチナ人難民も、そうした世界にあふれる難民社会の一つとして、長い間見られてきた。当時、世界はむしろ、ナチスの暴挙のあと生き残ったユダヤ人難民のことで忙しかった。ヨーロッパが難民というとき、ユダヤ人難民を指したほどで、パレスチナ人難民のことは顧みられなかった。国連がパレスチナ分割決議を採択したため起こったことであり、多くの国々がそれを支持したために難民が生じたのに、その責任は問われなかった。

ガザのシャーティ(ビーチ)難民キャンプ(1976年)

難民キャンプはやがてテントから泥造りの小屋に変わった。それは上下水道のない、すえた臭いのたちこめる、泥まみれのスラムだった。何よりも奪い取られていたのは、人間の尊厳とでも言うべきものだった。人々は踏みにじられ、その国の政府の顔をうかがうことを強いられ、自らの生き方を決定する権利を剥奪されていたのである。

この人々は、避難先の各アラブ諸国政府の厳重な監視下にあり「お前たちは難民であり、パレスチナに戻るのを待っているだけだから、ここは仮の宿だ。家を恒久的なものに改築したり、新築することは禁じる」と命令された。居住できる地区も制限され、ゲットーのようになった。

カナファーニの『彼岸へ』

PFLP(パレスチナ解放人民戦線)のスポークスマンとして知られていたガッサン・カナファーニというパレスチナ人作家がいる。一九三六年にパレスチナのアッカに生まれた彼は、やがて離散パレスチナ人社会で作品を発表していくが、七二年七月八日にベイルートで、車に仕掛けられた爆弾によって、壮絶な死を遂げた。

難民となったパレスチナ人の状況は、カナファーニの小編『彼岸へ』(一九六二年)で、次のように描写されている。

「俺は声をあげて抗うことも禁じられているんですよ。わめき声をあげる権利はねえんです。しかしねえ旦那さん、百万人の人間を一緒に溶かしちまって、それを一つの塊にしてしまうってことは、決して並みのことではねえですよ。……あんた達は、この百万人の人間から一人一人が持っている各自の特性ってやつを喪わせちまったんですよ。……俺たちは商品的状態じゃねえかって言いたいんですよ。俺たちにはまず見世物的な商品価値があるんですよ。ここを訪れた観光客は、難民キャンプを見落としちゃいけねえってわけですよ。難民どもは一列になって、できるだけあわれっぽい、本当の悲しさにおまけをつけた顔をしてみせるんですよ。すると観光客がその前を通ってぱちぱち写真を撮って、そして自分でもちょっぴり悲しみに浸ってみるって寸法ですよ」(奴田原睦明訳「彼岸へ」『太陽の男たち』所収、河出書房新社)

なま殺しの日々にも、人々は食べなければいけないし、家族に食べさせなければならない。登録番号で呼ばれ、国連という名の「世界の良心」に頭を下げて感謝しつつ、小麦粉を受け取る毎日は、すべてを奪われたものが保持していた不敵で不遜な牙を風化させていった。

窒息状態

パレスチナ人を窒息状態に置いたのは、何もイスラエルや欧米諸国だけではない。アラブ諸国も、パレスチナ人を将棋の駒にし、王家や封建体制の利益や駆け引きのために、何千何万の人間の生殺与奪の権利を行使していた。離散パレスチナ人社会のあらゆる運動は、文化的なものであれ、政治的なものであれ、すべてアラブ諸国の管理下に置かれた。パレスチナの地の解放と難民の帰還は、アラブ諸国の仕事であり、パレスチナ人は、アラブ諸国がイスラエルを打ち負かすまで待て、と言い聞かされ続けた。

難民たちはまた、他のアラブ人からも、ときには同じパレスチナ人の一部からも、社会復帰に遅れた、力強い後ろ楯や縁者のない、その国に同化のできない者として、差別の対象となることさえあった。レバノンのあるキャンプは「動物園」と呼ばれていた。

『太陽の男たち』

一九六三年にカナファーニは『太陽の男たち』を発表した。

この小説の中で三人の男たちは、クウェートに出稼ぎに行こうとするのだが、あくどい密入国請負い人に莫大な金を請求されて、うちひしがれる。そこで密入国を手伝って小銭を稼ごうという一人のパレスチナ人運転手に賭けてみる気になり、空の給水タンク車に乗って、国境に向かうのである。それは生命を暴力的に破壊し尽くす太陽と、焼けただれた砂塵の世界だった。灼熱の太陽にさらされ、なぎ倒されそうな人間たちの姿は、そのままパレスチナ人の状況を映している。

国境の手前で、三人は空の給水タンクの中に身を潜めた。イラク側の検問所は通過できた。タンクの中から裸で這い出る男たちは、息も絶え絶えになっている。休息は少ししか与えられない。再び三人はタンクに入り、車は疾走してクウェート側の検問所に到着し、運転手は書類を抱えて事務所に飛び込む。

しかし国境の役人たちは、なかなかビザにサインをしない。

ようやく車に飛び乗った彼は、全速力で国境を越える。しかしタンクの蓋を開けたとき、三人は死体となっていた。三人をゴミ捨て場に捨てたあと、運転手は「巨大な想念」にとりつかれる。それは燃えさかり、脳漿を焼き尽くす。そして叫ぶ。

「なぜおまえたちはタンクの壁を叩かなかったんだ……」(黒田壽郎訳、前掲『太陽の男たち』)

「生きてるっていえるか」

この一九六三年という年、パレスチナ・キャンプは、壁を叩かない人間たちの巨大なタンクだった。パレスチナ人はアイデンティティを失い、それを求めることをあきらめた集団に見えた。しかしカナファーニは、来たるべきものを、明確に予感していた。彼は同じ『太陽の男たち』の中で、次のように書いている。

「この空虚な砂漠は、まるで炎と煮えたぎるタールの鞭で、彼らの頭を鞭打つ目に見えぬ巨人のようであった。だが太陽は彼らをうち殺すことはできようが、同時に彼らの胸中にわだかまる卑しいものみなを抹殺することができるだろうか」

そのことは『彼岸へ』の中で、一歩進んで描かれている。それは「胸中にわだかまる卑しいもの」が、激しい太陽のもと、タンクの中につめこまれて、やがて沸点に達するのを予感させる。

「なにがいまわしいかって、自分に〃それじゃあ〃っていう先のことが、からっきし与えられてねえってことがわかったときくらい、無残なことはねえですよ。気が狂うんじゃないかと思うくらい、うちのめされちまいますよ。そのときその人間の口からは、ほとんど聞きとれぬくらいの声の独り言がもれてくるんですよ。「これで生きてるっていえるか？　これなら死んだほうがましだ」

それから何日かたつと、その声は大声に変わってわめきはじめるんですよ。

「これでも生きてるっていえるか、死んだほうがまだましだ」ってね。人間ってのは普通、死ぬことを、それほど好きじゃあないもんですよ。それで、俺たちは他のことを考えざるを得なくなるんですよ」(『彼岸へ』)

ダルウィーシュの詩

離散社会でこれをカナファーニが書いたころ、パレスチナにとどまった一人の詩人が、パレスチナ人のアイデンティティを摑みとり始める。マフムード・ダルウィーシュだ。彼は「身分証明書」という詩で、次のように言う。

書きとめてくれ、
おれは　アラブ。
あんたがたは　じいさん以来のブドウ畑と
おれが耕していた区割の土地を　ふんだくった。
おれと子供たちみんなで耕していた土地だ。
あんたがたは　おれと子供たちに　また孫たちみんなに
この岩山のほか　何ものこしはしなかった。
……そうだ、あんたがたの政府は
うわさできくように　その岩山までとりあげるつもりなのか？
それなら　それでけっこう。

書きとめてくれ、最初のページの真先に。
　おれは　民衆を憎まない。

おれは　だれからも盗まない。
けれどもだ、
もしも　おれが怒ったなら
おれは　わが略奪者の肉を食ってやる。
気をつけろ、おれの空《す》きっ腹に、
気をつけろ、おれのむかっ腹に。

（土井大助訳。『パレスチナ問題とは何か』中東の平和をもとめる市民会議編、未来社）

男たちは壁を叩いた

一九七一年、『太陽の男たち』は映画化された。炎天下に給水タンク車は、じりじり焼かれている。カメラはパンして車に近付く。そのとき車からは、なんとタンクの壁を叩く音が響いてくるのだ。カメラは再び給水車から離れ、入国管理事務所の部屋に近付く。そこではルーム・クーラーがフル回転し、その音にタンクの壁を叩く音は、かき消される。タンクの中のパレスチナ人たちは、はっきり壁を叩いたのだ。

カナファーニの『太陽の男たち』は、タンクの壁を叩かず、黙って焼かれて死んでいくパレスチナ人と、その状況に対する激しい絶望と告発とを、パレスチナ人社会の内側から叩きつけたものだった。しかし、それが映画化されたとき、死に瀕しているパレスチナ人たちが、必死にタンクの壁を叩いたのに、アラブ世界も含めて、周囲がその音を聞かなかった、あるいは聞こえないような状況がつくられている、というように重要な変化をとげたのである。

映画が作られた頃、PLOが解放闘争の主流になり、パレスチナ人という言葉は、難民であり、故郷への帰還のために闘う人を指すようになった。その後にパレスチナ人のアイデンティティ形成の源になるのは、一九八七年末に占領地内で始まったインティファーダである。

キファーの投獄

難民社会のパレスチナ人のことを考えるために、キファー・アフィフィという女性についても書いておきたい。キファーは私が支援していたメルバットという少女の姉だった。

メルバットには私は学費を毎月仕送りしていた。ある時彼女は仕送りはもう要らないといってきた。なぜかと聞くと、病院で働きながら看護学校に入ることにしたので、学費が免除になったのだという。こうして彼女は自分で看護婦になる道を選んでいった。

しかし彼女の家族は戦乱によりたいへんな痛手を受けていた。母親はレバノン右派民兵に抗議したため銃の台尻で背中を殴られ、それ以来歩くのが困難になっていた。父親は腹部にイスラエル軍の爆弾の破片が入り、やがて死亡する。兄の一人は戦闘で死亡し、別の兄は逮捕される。姉の一人は結婚したが、爆弾の破片が夫の頭に入り、全身不随になっている。そして彼女たちの家はシャティーラ・キャンプにあったのだが、弾痕で穴だらけになってしまった。

姉のキファーはこうした生活の中で、闘いを選んだ。彼女はファタハの中で頭角をあらわし、射撃の名手になり、五人のゲリラ兵を率いるリーダーになって、イスラエル占領下の南レバノンに攻め込む。しかし彼女は銃撃戦の末、逮捕され、そのまま行方不明になった。

国際赤十字に頼んでみたが、行方はわからないという。すさまじい拷問にさらされていることが予測された。家族は私に救援を依頼してきた。

私はイスラエルのユダヤ人弁護士が来日したとき、キファーの件の調査を依頼し、その後私がイスラエルを訪れたとき、キファーの消息の開示を要求する裁判を起こすよう頼んだ。

キファーが釈放されたという知らせが入ったのは、逮捕から六年目の一九九四年夏のことである。キファーの件がイスラエルの最高裁で審理開始されることになっていた、その前日に、彼女は釈放されたのである。

そのあと、私は彼女に会うためにベイルートに行った。釈放時には憔悴しきっていたというキファーは、ようやくとりもどした微笑を浮かべて、私を迎えてくれた。足の指には拷問の跡が残り、電気ショックの拷問も受けたという。

彼女は獄中で、看守の目を盗んで、衣服をほどいて集めた糸で、毛布の切れ端に刺繍をしたものを、私に見せてくれた。釈放時に体に巻きつけて持ちだしたのだという。

その中には、美しい森と湖の風景を描いたものがあり、死者たちの名前の中に、自分の名前をぬいとったものもあった。

私はキファーを、バールベックの神殿や鍾乳洞を訪れる小さな旅行に連れだした。生まれてからキャンプの外にはほとんど出たこともなく、武器をとって闘い、逮捕され、六年の獄中生活をへたキファーには、この旅はとても新鮮だったようだ。私は彼女に、和平の事を知っているか、と尋ねた。彼女は「裏切られたと思っている」と言った。

離散社会のパレスチナ難民は、中東和平の動きの中で、PLOからも見捨てられたように感じている。そしてたとえ和平が進んでも、エルサレム問題と同時に、一九四八年に発生した難民の帰還問題は、問題の最後まで残るだろう。なぜなら彼らが帰るべきところには、すでにユダヤ人が住んでいるからだ。そしてPLOの元エルサレム代表のヌセイベは、難民帰還を諦めるところでしか、パレスチナの独立国家は可能性がないだろうと発言している。

二つの政府

では、イスラエル国内のパレスチナ人はどうだろうか。イスラエルが独立宣言した時、その領内にとどまったパレスチナ人は、およそ一二万人だといわれている。現在イスラエル内パレスチナ人は人口一一九万人(二〇〇〇年八月)である。彼らはイスラエル国籍を取得し、選挙権を与えられた。イスラエルは民主国家をうたっていた。しかし実態はどうだっただろうか。

パレスチナ人は、イスラエルの歴代の指導者にとって、存在してはならない人々だった。

D・ギルモアは何人かの発言を引いている。

　ゴルダー・メイール元首相は、「この瞬間にもアラブ人の赤ん坊が生まれていると思うと、夜もゆっくり眠れない」と語ったという(一九七二年一〇月二五日付『ハアレツ』)。

　イスラエル議会外交委員長デービッド・ハコーエンは、イギリスの議員を前に食卓を両手で叩き、「連中は人類でもなければ、人間でもない。アラブなのだ」と叫んだという。

　こうした発言からパレスチナ人の置かれた境遇を推察するのは、そうむずかしいことではないだろう。

　イスラエルは、二つの政府をもっていた。普通の政府と、国内のパレスチナ人に対する軍事政府である。後者で用いられていた法律が、一九四五年にイギリス委任統治政府によって施行された緊急法(防衛法)で、それにイスラエルが独自に四九年に追加条項を設けたことは、前述のとおりである。

　軍事政府は一九六六年に廃止された。その理由は、この制度が非人間的なものだからというものではない。政府与党(マパイ党)がこれを用いて、選挙のときに自派に有利なようにパレスチナ人に圧力をかけたため、右から左まで与党以外の政党がこの廃止を求めたからである。

軍事政府はなくなった。しかし緊急法は生き残った。この法律によって土地が没収されたことは前述のとおりだが、そのほか次のような条項があった。

生き残った緊急法

一一〇条　すべての市民は警察の監視のもとに置かれる。軍司令官は市民の国内旅行に関して警察に届出を行なうことを強制することができる。

一一一条　軍司令官は特定の告発を行なうことなく、市民をある期間拘置することができる（管理拘束）。

一二四条　軍司令官は、村や地域の住民に外出禁止を命ずることができる。

一一一条ほど頻繁に用いられている法律はないだろう。この場合、逮捕の理由は明らかにされない。弁護士も認められない。裁判もない。名前も公表されないから、誰がいつどこで拘置されているのか、分からない。

あるユダヤ人弁護士は次のように発言している。

「長期間裁判をしないで人々を拘置するということは、警察が彼らを有罪にする何の証拠も見つけられなかったということを示している。だから緊急法一一一条の管理拘束は、法的には無罪である人間を有罪としてとり扱うからくりにほかならない。このような非人間的な法律は、イスラエルを除いてどこの国にも存在しない」

「土地はパレスチナ人の母」

ハサンという老人がいる。イスラエル北部ガリラヤ地方のアラバ村の人だ。ハサンの父は「閉鎖地域」に入って、そこに埋められていた地雷で死んだ。ハサンの息子の一人は、イスラエル軍に殺された。もう一人の息子は、トラックで事故に遭い、死んだが、いまだになぜ事故が起こったのか分かっていない。ハサンに残された三〇ドゥナムの土地が没収されることになったのは、一九七六年のことである。それが決定したのち、ハサンは、閉鎖地域に指定された土地に入って、バケツに土を入れ、自分の家の庭に運びはじめた。人々が聞くと、彼は三〇ドゥナムの土地を自分の家の庭に運ぶのだ、と答えたのだ。

こうしたことはどう理解したらいいのだろう。私が彼と一緒に彼の封鎖された畑に入ったとき、軍靴で踏み荒らされた畑の中を走り回って、作物の様子をいつくしむように見るハサンの姿は、夕陽を受けて感動的だった。芽を出した穀物畑から、薬莢や石を取り除く。沈む太陽にシルエットになりながら、荒らされた麦畑にハサンは立ち続ける。

多くの人々が語っている「パレスチナ人にとって、土地はパレスチナ人の母なのだ」という言葉を私は実感する思いだった。

「土地の日」

この頃パレスチナ人にとって、大きな出来事が起こった。「土地の日」の闘いである。

一九七六年に、ガリラヤ地方の土地六万三〇〇〇ドゥナムが没収されることになった。デイル・ハンナ村からは七五〇〇ドゥナムを取られるという。そんなことになれば一五〇〇ドゥナムしか残らない。

人々は、三月三〇日を「土地の日」と呼んで、ストライキを行なうことを決めた。

それ以前なら、パレスチナ人たちがストをしても、農民たちが家から出ないだけだから、イスラエルにとっては痛くもかゆくもなかっただろう。しかし急激に成長したイスラエルの産業は、大量の下層労働者を必要としており、パレスチナ人の村々の土地を没収することによって、農民を日雇い労働者に変えて、働かせていた。だから今回のストはイスラエルに深刻な影響を与えることになる。イスラエル政府はあわてた。

「ガリラヤのユダヤ化」

このガリラヤ地方は、もともと国連の分割案でもアラブ国家に予定されていた土地だったから、パレスチナ人の人口の方が多かった。これがイスラエルの気に入らなかった。政府は「ガリラヤ地方のユダヤ化」というスローガンを出した。パレスチナ人の土地をもっと取りあげて、そこにユダヤ人入植地を建設しなければいけないというわけだ。この政策が強烈な抵抗に出あうことになった。

「土地の日」の追悼集会(ガリラヤ地方のアラバ村，1977年)

民主国家イスラエルの幻想

一九七六年三月二九日、「土地の日」の前日、警察は、ディル・ハンナ村の土地防衛委員会代表を逮捕した。

そしてその夜、村に国境警備兵と警察が、銃を撃ちながら突入したのだ。子どもたちが引き立てられた。女たちが兵士から暴行を受けて、争いは拡大した。子どもたちが石を投げ始める。そして兵士たちは銃の水平撃ちを始めた。結局デイル・ハンナ村の逮捕者五一人、負傷者は二〇人を出した。隣のサハニン村でも負傷者六三人を出した。死者は一名である。

この日、ガリラヤ地方で計三人が射殺された。

翌日、イスラエルの中のパレスチナ人は、街頭にあふれた。数十万人のデモが燃え広がったのである。この日の死者は三人、計六人が犠牲になった。

それから二五年後、イスラエルに住んでいるパレスチナ人たちが、二〇〇〇年九月二九日以来の第二次インティファーダで、一三人殺された。彼らが射殺されたことは、イスラエルのパレスチナ人社会に大きなショックを与えた。民主主義国家イスラエルの幻想が消えたのだ。

「平和の種子」

二〇〇〇年一〇月、私は昔「土地の日」の闘いのときに訪れたアラバ村に行って、一四歳の息子を殺されたという父親に会った。

彼の息子は「平和の種子（シード・オブ・ピース）」という国際的な非暴力の平和運動に属していた。それはすべての対立を、対話によって解決しようという運動だった。

一九九九年「平和の種子」に参加するイスラエルのユダヤ人と、占領地のパレスチナ人、そしてイスラエルの中のパレスチナ人たちが、一緒にアメリカに行って、キャンプを過ごした。そこで自分たちの言い分を相手にぶつけて、徹底的な話し合いがされた。理解はなかなか深まらなかった。

やがてキャンプが終わった後、パレスチナ人の難民キャンプにユダヤ人の若者が訪ねていったり、反対に難民キャンプの少女がユダヤ人の町を訪ねていくようになった。そこは昔の自分の父親、母親が追い出された町だった。若者たちの間で、すこしずつ相手への理解が始まった。

そのもようは子どもたちによって撮影され、一九九九年に編集され、二〇〇〇年秋に日本でアラバ村の一四歳の少年は、このキャンプに参加していた。もテレビ放映された。

少年の死

そして第二次インティファーダが勃発する。

彼のアラバ村に、イスラエル兵が押し寄せてきて、銃を発射し始めたとき、彼はパレスチナ人の若者たちに石を投げるのを止めさせようとした。挑発には乗るな、ほかの解決の仕方をとるべきだと彼は叫んだ。

イスラエル兵が村に突入した。石を投げた若者たちは逃げた。少年は捕らえられて銃で殴られ、倒れた。すべては父親の目の前で起こった。イスラエル兵は銃をつきつけた。少年は「お父さん！　助けて」と叫んだ。そのあとイスラエル兵は彼に実弾を発射した。

民主主義の挑戦

「民主国家」イスラエルの矛盾が噴き出した。民主国家とは何かというと、フランスだったらフランス国籍を持つ人間が等しく権利を持つ国のことで、カソリックだけに権利があるわけではない。イギリス人もプロテスタントだけの国ではない。しかしイスラエルはユダヤ人のための国なのだ。

イスラエルの国歌には「ユダヤ人の魂が脈うつ」という言葉がある。イスラエルの国民であるパレスチナ人も、直立不動でそれを歌ったり聞いたりしなければならないのだが、彼らがどんな気持になるのか、ユダヤ人にはわからない。民主国家だから国歌は国民の歌のはずなのに、これはユダヤ人だけのための歌なのだ。

この矛盾が大きくなるとどうなるか。

テルアビブ大学のザンド教授は、イスラエルの中でユダヤ人とパレスチナ人との間で内戦が起こる可能性があるという。ガリラヤ地方のパレスチナ人が自決権を行使するほかないと考えたら、ガリラヤのコソボ化がはじまる。それが最悪のシナリオであり、民主主義国家イスラエルが崩れる最終段階だというのだ。

イスラエルという国

イスラエルのパレスチナ人はヘブライ語を勉強するが、ユダヤ人はアラビア語を学校では教えられない。また授業には聖書研究が義務づけられているが、コーランは教えられない。

こうしたイスラエル内パレスチナ人が、インティファーダに参加したことについて、前述の前イスラエル秘密警察長官アミ・アヤロンは、彼らを国民として平等に扱わなかったから、こういう事態になったのだ、と発言している。彼は、イスラエル内パレスチナ人を大臣に起用するくらいしないと、イスラエル国家は生き延びることができないだろう、と言うのだ。

秘密警察長官の分析

イスラエル・テレビ(チャンネル2)で行なわれたアヤロンのインタビューの様子をここに書いておきたい。インタビューは第二次インティファーダ勃発のすぐあとに行なわれた。

――船にたとえるならイスラエルという船は今どんな状況にあるのか。沈むのか、生き残れるのか。

「大嵐の中で沈もうとしている。生き残るためには何をしなければならないのか、深刻に考えなければならない」

「リンチでイスラエル兵を殺した彼らは、ほとんどみんな和平に失望した人間たちだ。パレスチナ人の社会は三つのカテゴリーに分けられる。一つめは和平のプロセスを支持するグループだ。二つめは和平に反対する者、三つめは最近、和平に失望した人間たちだ。この最後のグループが今どんどん大きくなり、より暴力的になっている。このグループは、和平の中心にいた人間たちだ。彼らはかつて和平を支持して、和平はこの人間たちに支持されて育った」

――がっかりしたパレスチナ人が、こんなにひどいリンチをしたのですか?

「彼らは完全に理性を失ったのだ。すべてのパレスチナの政治構造が完全に破綻し、指導者たちも示す道を失い、指導力も細かく分断されたからだ。

アラファトは事態をコントロールできていないし、戦略計画を立てる力もない。もし誰かが、この事態はアラファトが計画的に作り出したのだというなら、その人間はパレスチナ状況も、今何が起こっているのかということも、完全に理解できていない。アラファトは人々に進む道を指し示すこともできない。

そしてイスラエルが力で解決しようとしても、状況を変えることはできない。われわれは過去で失敗してきた。未来もこういう考えで行けると考えるのなら、残念だ」

3　占領地
――対立と分断――

ヨルダン川西岸とガザ　エルサレムについては後で詳述するが、占領地内の人口は次のとおりである(二〇〇〇年一一月現在)。

西岸地区　パレスチナ人　一九四万七〇〇〇人　ユダヤ人　一九万四〇〇〇人
ガザ地区　パレスチナ人　一一九万二〇〇〇人　ユダヤ人　六七〇〇人

エルサレムのパレスチナ人口は二二万八〇〇〇人、ユダヤ他が五四万二〇〇〇人、厳密に言えばこれらのうちユダヤ人は入植者であるが、イスラエルは東エルサレムを併合しているため、そこに住むユダヤ人を入植者とは呼んでいない。

占領下に置かれたパレスチナ人の状況は、どのようなものだったのだろうか。パレスチナ自治政府の活動が始まる少し前に遡って見てみたい。

以下はイスラエルの英字紙『エルサレム・ポスト』が一九八六年にまとめた占領地報告からの抜粋である。

「ガザ地区ではイスラエルのユダヤ人入植地建設のため、土地の接収が進められた。すでにガザ地区の三分の一がイスラエルのものとなり、漁場も四分の一に減らされ、操業時間も極端に短縮された。

ガザ地区の産業は破壊された。ガザの生産物をイスラエルで売ることは不可能だが、その反対は可能である。ガザの産業が外国からの援助金を受け取ることも禁止された。工場の建設も認められず、こうしてガザ住民はイスラエル内の産業の日雇い労働者と化した。

これはヨルダン川西岸地区でも同じである。こうしたパレスチナ人労働者の賃金は、イスラエル人の一—二割程度である。人々は早朝から長時間かけてイスラエル内の労働現場に向かう。ただし毎日通行料を支払わねばならず、イスラエル内に宿泊すると逮捕される。ガザ地区内でも、オリーブの植樹、移植はイスラエルの許可が必要だが、許可されることはほとんどない。畑から石を拾い出すことさえ許可が必要になっている。

井戸を掘ることも禁止されている。このため水不足が生じ、一つの井戸をさらに深く掘って使用するため、地下水が海水で汚染され、飲料水に事欠くだけでなく、汚染された水を農業用水として使用するため、ガザ地区の砂漠化はいよいよ進行している。もちろんイスラエルのユダヤ人入植地の井戸掘削は許可されている。

抵抗運動に対しては、イスラエル当局は厳罰で処し、たとえば子どもがイスラエル軍に投石した場合、パレスチナ・キャンプと学校は閉鎖され、本人は一年近い刑を受ける。またパレスチナの地図を他人に見せただけでも、一年の刑に処せられる。土地が接収されても、パレスチナ人には訴える場がない。アラブ系の裁判所はまったく無力化され、あとはイスラエル軍事法廷しかない。そしてイスラエル当局は、ガザ市長を解任する権限をもつ。

こうしたことすべては、ジュネーブ条約によって禁止されている(占領者は現状変更を禁止される)のだが、イスラエルはガザ地区とヨルダン川西岸地区を「占領」しているのではなく「管理」しているのだと主張し、そのためジュネーブ条約にはしばられない、と言っている。

ヨルダン川西岸地区では、収入の四割は、海外に出稼ぎに行っている家族からの仕送りである。

水の問題はガザと同じように深刻で、水資源の四―五%だけが、西岸地区住民のために使用を許されており、残りは全部ユダヤ人入植者が使用する。この西岸住民への水の割り当て総量は、西暦二〇二〇年まで据え置くと定められており、一人当たりの水の使用量が、西岸のユダヤ人入植者とパレスチナ人では、一〇対一の割合になっている。

西岸地区の村や町は、イスラエルの建設した新しい道路網によって分断孤立化させられており、五二%の土地はすでにイスラエルの手に渡っている」

占領地内のパレスチナ人たちが、占領当局によってどのように弾圧されてきたかについては、パレスチナ紙『アル・ファジャル(夜明け)』やオーストラリア放送局が実施した世論調査(一九八六年九月発表)の「あなたあるいはあなたの家族が、今まで経験したことを答えてください」という質問の答に、次のようにはっきりと表われている。

世論調査にみる弾圧

「政治犯としての逮捕四七・五%、イスラエル占領当局による殴打、肉体的虐待、脅迫五〇・七%、イスラエル軍の検問所でのいやがらせ、暴行五五・七%、イスラエル当局による財産・土地の没収二二・八%、国外旅行の禁止三四・一%、外出禁止七四・二%、家の破壊・封鎖一七・六%、追放あるいは都市・自宅拘禁(居住区あるいは自宅から出ることを禁止される措置)一五・七%、軍事法廷での罰金刑三七・六%、そのような経験なし六・三%」

調査した人々の、実に九三・七%が、何らかの形で占領当局による抑圧を受けていた。

特に二人に一人が、拷問や逮捕の経験ありと答えたことは、注目に値する。占領下住民が、痛めつけられ苦しめられた様子は、想像以上である。

第二次インティファーダ以降の占領地の状況

ヨルダン川西岸地区とガザ地区の状況は、和平が崩壊しはじめた二〇〇〇年九月の第二次インティファーダ以降、更に厳しさを増した。

ガザ地区は土地の四五%以上がユダヤ人入植地や軍基地として占領状

カランディア検問所(2002年2月)

態が続き、今もパレスチナ人の家屋の破壊、主要道路沿い周辺の土地の没収が行なわれている。そしてガザは回廊と呼ばれてきたとおり、細長い地域だが、ユダヤ人入植地に至る道をイスラエルが管理し、要所にはイスラエル軍の基地やトーチカが設けられ、四つの部分に分断されている。そしてひんぱんにこの道は閉鎖される。二〇〇二年二月にタクシーの運転手は、一〇キロ先の自宅に戻るために、交差点で一日半も待たなければならなかった、と話していた。

こうした道路の封鎖は、現在ガザだけでなく、西岸地区でも頻繁に行なわれ、パレスチナの居住区は、五二か所の検問所で隔離されているほか、村々も入口の道はブルドーザーで溝が掘られ、土盛りがされ、車の通行はできないようになっている。人間の通行が完全に禁止されることも多い。

学校や職場への通行ができない状態が日常になっている。

ましてや生産物の流通は不可能で、パレスチナ人コミュニティは仮死状態にあると言ってもいい。村の外側に畑や果樹園がある場合がほとんどだが、そこで働くこともできないありさまだ。

二〇〇二年になってから検問所の通行は非常に厳しくなり、通過しようとする救急車が射撃され、医師や運転手、救急隊員が死亡したり重傷を負ったりするケースが増えている。

私は二〇〇二年三月にラマラで、戦車が病院近くの道路をふさいで、救急車の通行に支障が出たのを目撃した。またトゥルカレムでは、救急車が銃撃され、救急隊員と運転手が死亡したのを病院で確認した。

入植地の建設

入植地建設は第三次中東戦争の後から始まったが、当初は労働党政権のもとで、ゴラン高原やヨルダン川西岸のヨルダン国境沿いの戦略的拠点に作られた。しかし数はそう多くなかった。

入植地が大量に建設し始められたのは、七七年のベギン政権になってからである。特にエルサレムの首都圏拡大に伴って、巨大な町が要塞のように建設されていった。入植地建設が強力に押し進められたのは、シャロン現首相(二〇〇二年四月)が住宅相だった時である。

国連NGO会議で発表された数字では、一九八六年当時の占領地のユダヤ人入植者の数は、西岸地区で五万人、東エルサレムで九万人、ガザ地区で三五〇〇人となっている。占領地でイスラエルの手に渡ったのは、五億ドル相当の土地と見積もられている。その後入植地の数は増え続け、西岸やガザ地区における入植地の数は、イスラエルの平和団体ピース・ナウによると、一四五にのぼり、そのうち一七がガザ地区、一二三がヨルダン川西岸地区、残りがゴラン高原に作られた。

こうした正式に入植地として考えられているものの他に、パレスチナ土地防衛委員会の調査では、建設過渡期の小さなものや砦のようなものを含めると、一九〇になるという。

そして入植地での新設住宅着工件数は、暫定和平調印後の一九九三年から二〇〇〇年までの間に一万六九〇〇件であった。特に多かったのは、一九九八年の四二一〇件である。労働党政権の時には着工件数は少なくなったが、それでもバラク政権の二〇〇〇年には、一七九〇件が着工されている。

一九九三年の自治合意から二〇〇〇年末までに、ユダヤ人入植地の住宅着工件数は五二％以上増加し、さらに新規に三つの入植地が建設されたのである。これらの数字には、東エルサレムは含まれていない。

ヘブロン虐殺事件は、ユダヤ人入植者によって起こされた。入植者は武装が許されている。そしてイスラエルの和平派の人々は、この武装入植者がいるかぎり、パレスチナ人との和平は不可能だということを悟った。現在和平の障害のもっとも困難なものの一つは、入植地問題である。

二〇〇二年三月、テルアビブで八万人の和平反対集会があった。中心は入植者たちである。彼らはアメリカの圧力に屈して、入植地を解体することがないようにと、シャロン政権に圧力をかけた。

しかしこの集会は、入植者たちの焦りを表していた。イスラエル世論は、入植者を守るために、イスラエル兵が危機にさらされることに、反対の意思表示をしている。

そして二〇〇二年三月一五日付『マアリブ』紙が発表した世論調査では、ガザ地区からのユダヤ人入植者の一方的撤退に賛成と答えた者は五四%で、反対は三九%だった。そして和平のためには全入植地の解体を受け入れるべきと答えた人は実に四五%に及んだのである。

こうしたことは二月の時点では、考えられなかった結果だった。いかにイスラエルのユダヤ人たちが、占領地と入植地が、和平の弊害になっているか、深刻な危機感を感じていることが分かる。

一方、入植者たちの過半数も、その土地が「約束の地」だからという理由で入植したわけではなく、家屋が安く購入できるから移り住んだという人が多い。彼らはいずれは入植地を去るつもりでいるといわれている。しかし購入した家屋の問題もあり、イスラエル国内での新しい住宅購入、そのほか多くの問題に直面している。今自分の意思で入植地から離れたら、何の補償金も出ない。政府が出ろというまで待って、補償金をもらってから移動するつもりでいるのだ。

エルサレム

イスラエル統計年鑑(二〇〇一年版)によると、エルサレムの人口は二〇〇〇年末現在で七五万八〇〇〇人である。その内訳を宗派で見るとユダヤ教徒が五三万人、イスラム教徒が二〇万四〇〇〇人、キリスト教徒が一万五〇〇〇人となっている。さらにユダヤ人他が五四万二〇〇〇人、パレスチナ人が二一万六〇〇〇人という数字も示されている。

しかしこれはイスラエルの主張する、統一エルサレムの数字で、併合された東エルサレムおよびその周辺の西岸地区に入植地を建設したその人口もここに含まれている。イスラエルの言う統一エルサレムは一〇五平方キロである。この中に一平方キロのエルサレム旧市街がある。ユダヤ教、キリスト教、イスラム教の聖地の多くは、この旧市街にある。その中心はイスラム教でハラム・アッシャリーフ、ユダヤ教で「神殿の丘」と呼ぶ場所で、ここにはかつてユダヤ教の神殿があったとされ、現在は岩のドームとアルアクサ寺院が建っている。

エルサレムの変貌

現在、エルサレムが直面しているのは、アラブ色の一掃の問題である。イスラエルは東エルサレムにユダヤ人入植者を増やし、パレスチナ人は小さなゲットーに追いこみ、東西ともにユダヤ人の街に変えようとしているのだ。

ユダヤ人入植者の増加によって一九九三年に東エルサレムの人口は、ユダヤ人一八万人に対し、パレスチナ人一七万人で、ユダヤ人が多数派になった。

こうして「エルサレムのユダヤ化」がほぼ完成したと言うのは、ヘブライ大学都市計画学のシュロモー・ハソン教授である。エルサレムは何百年もの間、異文化、異なる習慣、宗教、民族のモザイク都市だったのが、今ではユダヤ人のためだけの都市になってしまったというのだ。

彼によると、エルサレムを他の西岸地区から絶ち切ることで、パレスチナ人地区は孤立してしまった。東エルサレムを西岸地区から切り離すことはパレスチナ人にとって死活問題で、エルサレムのパレスチナ人居住区は小さなゲットーにされ、隔離された。その結果、パレスチナの国家的、社会的一体感が失われたのだという。そして具体的に次のような政策がとられた。

一　イスラエルによるエルサレム都市計画政策によって、東エルサレムでは新規の住宅建設がほとんど不可能になった。だから家族が増えると、人々は移住せざるをえなくなった。

二　大規模な入植地が東エルサレムを取り囲むようにどんどん建設された。

三　エルサレムに住むパレスチナ人は、様々な理由で身分証明書を没収され、エルサレムには戻れなくされている。これはエルサレムからパレスチナ人の人口を減少させるために取られている政策だ。

四　エルサレムを他の西岸地区と断絶させ、西岸地区の人間がエルサレムに来られなくする。

それは、エルサレムが心臓なら、そこに流れ込む血を止めることに等しい。こうして社会的に、文化的に、エルサレムが機能しなくなる。たとえばエルサレムにあるマカーセド病院はエルサレムのみならず、西岸随一の大きな病院だが、西岸の人々はエルサレムに入って来られず、病院も機能しなくなる。

だから東エルサレムは、イスラエルの占領が終わらない限り、息を吹き返すことはない。

平和の都

暫定自治合意のあとの一九九三年一一月、東エルサレムでパレスチナ人とイスラエルのユダヤ人との合同のデモがあった。谷を隔てて旧市街の城壁が見える場所で、人々はアラビア語とヘブライ語と英語で書かれたスローガンを持って集まり、パレスチナの旗も翻った。主催者は、パレスチナ人と元議員のアブネリが中心になっている「グーシュ・シャローム(平和の集団)」である。

このときパレスチナ人の指導者の一人で、PLOのエルサレム代表になっていたファイサル・フセイニーは、次のように発言した。

「エルサレムは将来、二つの民族の共通の首都となるでしょう。和平実現のために、そうしなくてはいけないのです。そして中東和平のためにエルサレムは将来、二つの民族に開放されるでしょう。イスラエルには二つの選択が残されています。エルサレムがイスラエルだけの首都となるか、または二つの民族の共通の首都となるか、です。二つの民族は今、共通の平和について話し合っているのです」

エルサレムは「平和の都市」とか、「聖なる都市」とか呼ばれてきた。しかしこの街には歴史上、不断に外部から分断と対立が持ち込まれてきた。ここで平和が生まれるか、人々の共存が可能かは、パレスチナとイスラエル全体、あるいは中東全体の平和が可能か否かを左右する。他の問題がすべて解決したとしても、このエルサレム問題が解決できない間は、対立は残る。ここには人々の希望や絶望が交錯し、民族、宗教の思いがうずまいているのである。

あとがき

今から五四年前の一九四八年のイスラエル独立とパレスチナ難民発生の日を、パレスチナ人はナクバ(大破局)と呼んでいる。それから実に五四年間、彼らの多くは難民生活を送ってきた。私は三五年前の第三次中東戦争(一九六七年)、二〇年前のレバノン戦争(一九八二年)、そして今年の二月から四月にかけて戦争の現場にいた。

今回の戦争と、四八年、六七年、八二年の戦争はどこがちがうのだろうか。

それはかつての戦争がパレスチナ人の追放や移送をともなったことである。幸い今回はまだパレスチナ人の大量難民化は生じていない。

それは少しでも占領地のパレスチナ人の人口を減らしたいと考えるシャロン首相にとっては誤算だった、と言うユダヤ人の識者もいる。

シャロン首相の戦争理由は次のように分析することができる。

1、パレスチナの「テロリスト」の基盤をつぶす

2、パレスチナ人をひざまずかせて、許しを乞わせる

3、できればパレスチナ人をヨルダンに追放する

4、パレスチナの指導者を、アラファトからイスラエルの言うことを聞く人間に替える

イスラエル軍はパレスチナ人をサンドバッグのように叩き続けた。多くのイスラエル人はパレスチナ側に強烈な打撃を与えたことを喜んでいる。それは相次ぐ自爆テロや襲撃によって、恐怖に陥っていたイスラエルのユダヤ人にとっては、当然のことだという声もある。シャロンの支持率上昇はそのためである。しかしジェニン難民キャンプとナブルスの抵抗は計算外だった。多くのイスラエル兵の犠牲者が出た。

ジェニンで二六人の兵士を失ったイスラエルは、戦闘が終わった後に、大規模な家屋破壊を行なった。そのときに多くの民間人が殺されたのではないかという疑惑が持たれている。真相の究明は困難だろうが、やがて少しずつ、何が起こったのか明らかになっていくだろう。

シャロンは、二〇年前のサブラとシャティーラ難民キャンプ虐殺事件の再現を恐れている。彼はレバノン戦争の初めは英雄だったが、虐殺事件のおかげで、終わった時は犯罪者になった。

もうひとつ今回の戦争のつけがある。それはこの強引な占領地への侵攻が、国際的な大きな反感を買ったという事である。ヨーロッパは武器禁輸などの措置を取った。世界の多くの人々はイスラエルが恐い存在だと思いはじめた。こうした印象をただすまでにはイスラエルは長い時間を必要とするだろう。さらにヨーロッパでの反ユダヤ主義の高まりにも警戒しなければならない。しかしイスラエルは今「イスラエルに反対する人間」は「反ユダヤ主義者」という風

潮を育てている。そういう意味ではこの戦争は反ユダヤ主義を育てる結果になっているのではないだろうか。

一方でイスラエル国民の多くは、この戦争が新たな報復を呼ぶだけで、政治的には決して成功しない事を知っている。問題はより複雑化したのだ。今度の戦争に支持も大きい反面、一九六七年以前の国境に戻ることで平和と安全をもたらしたい、と考える声が過半数を占めるまでになっているのはそのためである。

今パレスチナ人は、オスロ合意がパレスチナの独立をもたらさなかったことをかみしめている。それでは、どのような枠組がイスラエルとパレスチナの本当の平和をもたらすのか。瓦礫の中から、人々は真剣にそれを世界に問うている。

二〇〇二年四月、イスラエルは独立五四周年を迎えた。人口は六五〇〇万人になり、そのうちユダヤ人口は八一%の五三〇〇万人である。これは世界のユダヤ人口の三七%にあたる。

二〇〇二年四月

広河隆一

索　引

項目は，歴史的事項・人名を中心とし，
掲出ページは主な箇所のみを示す

あ 行

か 行

な 行

は 行

索　引

パレスチナ問題関連年表

1897	バーゼルで第1回シオニスト会議開催(パレスチナにユダヤ民族郷土を建設する決議)
1915-16	英国がアラブ独立を約束(フセイン・マクマホン書簡)
16	英国が仏などとアラブの土地分割を秘密裏に決める(サイクス・ピコ協定)
17	英国がユダヤ民族郷土建設を約束(バルフォア宣言)
20	サンレモ会議．パレスチナが英国の委任統治下になることが決まる
33	ナチス，政権につく
36	トルコに対するアラブの反乱
47	国連総会がパレスチナ分割決議を採択
48	イスラエル建国宣言(5月)，パレスチナ難民発生．第一次中東戦争(パレスチナ戦争)
56	エジプトがスエズ運河国有化宣言，第二次中東戦争(スエズ戦争)
64	パレスチナ解放機構(PLO)設立
67	第三次中東戦争(6月)，イスラエルがヨルダン川西岸，ガザ，ゴラン高原，シナイ半島を占領，東エルサレム併合
69	アラファト，PLO議長就任
70	ヨルダン内戦
72	日本赤軍によるテルアビブ空港襲撃事件
73	第四次中東戦争
74	アラファト，国連で演説
75-76	レバノン内戦
78	米国，エジプト，イスラエルが和平合意(キャンプ・デービッド合意)

1979	イスラエルとエジプトが平和条約締結
81	サダト・エジプト大統領暗殺
82	レバノン戦争．PLO ベイルート撤退，難民キャンプで虐殺事件
87	インティファーダ開始
88	PLO，イスラエルの生存権を公式に承認
90	イラクによるクウェート侵攻
91	湾岸戦争勃発．マドリード中東和平会議
92	ラビン労働党連立内閣成立
93	パレスチナ暫定自治協定共同宣言調印(オスロ合意)
94	ガザ，ジェリコからイスラエル軍撤退，先行自治開始．アラファト，ガザに入る
	イスラエル・ヨルダン平和協定締結
95	パレスチナ拡大自治協定調印
	ユダヤ教過激派青年がラビン首相暗殺
96	パレスチナ暫定自治区で総選挙，アラファト初代自治政府議長に
	ネタニヤフ，イスラエル首相に選出
98	イスラエル軍追加撤退合意(ワイ・リバー合意)
99	バラク，イスラエル首相に選出
2000．7	キャンプ・デービッドでのクリントン，バラク，アラファト首脳会談決裂
9	シャロン・リクード党首がエルサレムの聖地訪問を強行，アルアクサ・インティファーダ勃発
2001．1	ブッシュ米新政権誕生
2	シャロンがイスラエル首相に選出
5	ナタニアの自爆テロ
	イスラエル，自爆テロに報復の空爆
6	テルアビブのディスコで自爆テロにより 20 人死亡
	エルサレムなどで連続自爆テロと報復爆撃激化
8	イスラエルはエルサレムのオリエント・ハウス(PLO

	のエルサレムでの非公式の本部)接収
	PFLP 議長をミサイルで暗殺
9	米国で同時多発テロ
10	米国アフガン爆撃
	ズエビ・イスラエル観光相暗殺される．イスラエル軍，報復としてベツレヘムなどに大規模侵攻
2002．1	エルサレムで女性による自爆テロ
2	イスラエル軍パレスチナ難民キャンプを制圧．3月にかけての一連の作戦で，イスラエルはレバノン戦争以来最大規模の2万人の兵力を投入
3	イスラエル軍，ガザのパレスチナ議長府をミサイル爆撃，破壊
	国連安保理で占領地撤退とパレスチナ独立支持を可決
	アラブ首脳会議でアブドラ・サウジアラビア皇太子の和平案提出
	イスラエル「守りの壁」作戦
	ラマラの議長府にアラファト議長を監禁
4	イスラエル軍，ベツレヘムへ侵攻，聖誕教会を包囲
	ジェニン難民キャンプでイスラエルによるパレスチナ民間人大量虐殺疑惑浮上．国連が調査団派遣を決定
	パウエル米国務長官，シャロン首相，アラファト議長と会談するも調停は失敗におわる

広河隆一

1943年生まれ
1967年早稲田大学卒業．同年イスラエルに渡り，70年に帰国．中東諸国と核問題を中心に取材を続ける．83年IOJ国際報道写真大賞，89年講談社出版文化賞，93年産経児童出版文化賞，98年日本ジャーナリスト会議特別賞，99年平和・共同ジャーナリスト基金賞，2001年さがみはら写真賞，2002年早稲田ジャーナリズム大賞，2003年土門拳賞，日本写真協会賞年度賞受賞
現在―チェルノブイリ子ども基金代表
著書―『ユダヤ国家とアラブゲリラ』『パレスチナ難民キャンプの瓦礫の中で』(草思社)，『日本のエイズ』(徳間書店)，『破断層』『チェルノブイリの真実』『原発被曝』(講談社)ほか
写真集―『パレスチナ』(徳間書店)，『人間の戦場』(新潮社)，『チェルノブイリ 消えた458の村』『写真記録 パレスチナ』(日本図書センター)ほか
ホームページ：http://www.hiropress.net

パレスチナ 新版　　岩波新書(新赤版)784

2002年5月20日　第1刷発行
2004年4月15日　第8刷発行

著　者　広河隆一《ひろかわりゅういち》

発行者　山口昭男

発行所　株式会社 岩波書店
〒101-8002 東京都千代田区一ツ橋2-5-5

電　話　案内 03-5210-4000　販売部 03-5210-4111
新書編集部 03-5210-4054
http://www.iwanami.co.jp/

印刷製本・法令印刷　カバー・半七印刷

ISBN 4-00-430784-8　　Printed in Japan

岩波新書創刊五十年、新版の発足に際して

岩波新書は、一九三八年一一月に創刊された。その前年、日本軍部は日中戦争の全面化を強行し、国際社会の指弾を招いた。しかし、アジアに覇を求めた日本は、言論思想の統制をきびしくし、世界大戦への道を歩み始めていた。出版を通して学術と社会に貢献・尽力することを終始希いつづけた岩波書店創業者は、この時流に抗して、岩波新書を創刊した。

創刊の辞は、道義の精神に則らない日本の行動を深憂し、権勢に媚び偏狭に傾く風潮と他を排撃する驕慢な思想を戒め、批判的精神と良心的行動に拠る文化日本の躍進を求めての出発であると謳っている。このような創刊の意は、戦時下においても時勢に迎合しない豊かな文化的教養の書を刊行し続けることによって、多数の読者に迎えられた。戦争は惨澹たる内外の犠牲を伴って終わり、戦時下に一時休刊の止むなきにいたった岩波新書も、一九四九年、装を赤版から青版に転じて、刊行を開始した。新しい社会を形成する気運の中で、自立的精神の糧を提供することを願っての再出発であった。赤版は一〇一点、青版は一千点の刊行を数えた。

一九七七年、岩波新書は、青版から黄版へ再び装を改めた。右の成果の上に、より一層の課題をこの叢書に課し、閉塞を排し、時代の精神を拓こうとする人々の要請に応えたいとする新たな意欲によるものであった。即ち、時代の様相は戦争直後とは全く一変し、国際的にも国内的にも大きな発展を遂げながらも、同時に混迷の度を深めて転換の時代を迎えたことを伝え、科学技術の発展と価値観の多元化は文明の意味が根本的に問い直される状況にあることを示していた。

その根源的な問は、今日に及んで、いっそう深刻である。圧倒的な人々の希いと真摯な努力にもかかわらず、地球社会は核時代の恐怖から解放されず、各地に戦火は止まず、飢えと貧窮は放置され、差別は克服されず人権侵害はつづけられている。科学技術の発展は新しい大きな可能性を生み、一方では、人間の良心の動揺につながろうとする側面を持っている。溢れる情報によって、かえって人々の現実認識は混乱に陥り、ユートピアを喪いはじめている。わが国にあっては、いまなおアジア民衆の信を得ないばかりか、近年にいたって再び独善偏狭に傾く惧れのあることを否定できない。

豊かにして勁い人間性に基づく文化の創出こそは、岩波新書が、その歩んできた同時代の現実にあって一貫して希い、目標としてきたところである。今日、その希いは最も切実である。岩波新書が創刊五十年・刊行点数一千五百点という画期を迎えて、三たび装を改めたのは、この切実な希いと、新世紀につながる時代に対応したいとするわれわれの自覚とによるものである。未来をになう若い世代の人々、現代社会に生きる男性・女性の読者、また創刊五十年の歴史を共に歩んできた経験豊かな年齢層の人々に、この叢書が一層の広がりをもって迎えられることを願って、初心に復し、飛躍を求めたいと思う。読者の皆様の御支持をねがってやまない。

（一九八八年一月）